GRANDS MAÎTRES DE LA PEINTURE

Retable de l'Agneau mystique,
détail (page 14)

Triptyque Portinari
détail (page 16)

Édition originale
Great Artists
© 1998, Dorling Kindersley Limited,
pour l'édition française
© 1998, Robert Cumming, pour les textes originaux
© 1998, Larousse-Bordas, pour la langue française
© 1998, Éditions Libre Expression ltée,
pour l'édition canadienne

Traduction-édition Marc Baudoux
Conseiller scientifique Claude G. Frontisi
Responsable éditoriale Dominique Wahiche
Adaptation graphique Henri-François Serres Cousiné
Fabrication Marlène Delbeken

Jeanne Hébuterne
détail (page 106)

Le Baiser
détail (page 94)

Photogravure GRB Editrice s.r.l.
Imprimé par A. Mondadori à Vérone (Italie)

ISBN 2-89111-832-4
Dépôt légal : 2e trimestre 1999

Libre Expression

Éditions Libre Expression
2016, rue Saint-Hubert
Montréal (Québec) H2L 3Z5

Esclave mourant
détail (page 28)

Autoportrait avec Saskia
détail (page 48)

*Charles Quint
à Mühlberg*
détail (page 34)

SOMMAIRE

*L'Infante Marguerite
en robe rose*
détail (page 46)

Thomas Lister
détail (page 56)

La Paix et la Guerre
détail (page 40)

QU'EST-CE QU'UN « GRAND ARTISTE » ?

Quelle que soit l'époque, les personnalités qui s'expriment pleinement dans la peinture sont les produits de facteurs multiples et complexes. Il y a le talent, la volonté et l'inspiration, mais ces qualités essentielles ne suffisent jamais à elles seules. Si la plupart des artistes reflètent leur époque, le créateur possède la capacité de captiver l'imagination de la postérité et de communiquer avec elle. Un tel artiste travaille avec la conviction la plus profonde, avec le désir de révéler autre chose que son habileté et avec des intentions qui dépassent le goût contemporain. La pérennité et l'universalité de l'œuvre d'un grand artiste tiennent à ce qu'il a quelque chose d'exceptionnel à dire et à ce que, pour lui, la peinture n'est pas une fin en soi mais un moyen d'aborder une vérité humaine fondamentale.

Vinci
Léonard de Vinci a peint très peu de tableaux mais il a contribué à modifier profondément la vision de l'art et le statut de l'artiste, en exaltant sa grandeur et en contestant l'ordre corporatif qui régissait le « métier ».

AU COURS DE CES CINQ DERNIERS SIÈCLES, la place de l'artiste dans la société et le sens de son activité ont considérablement changé. Nous avons tendance à voir l'artiste contemporain comme un esprit libre qui adopte, souvent consciemment, un mode de vie et un système de valeurs hors norme, parfois même de façon délibérément provocante, alors que les artistes de la première Renaissance, comme Masaccio (p. 12) ou Piero della Francesca (p. 16) restent proches de l'artisanat d'art. Van Gogh (p. 90) n'aurait pu devenir peintre s'il avait vécu au XVIIe siècle ; il serait resté prédicateur. Inversement, Rubens (p. 40), s'il vivait de nos jours, serait diplomate et négociateur international, non artiste.

De l'artisan au philosophe. Il y a deux grands tournants dans le développement du rôle de l'artiste : le premier s'est produit à la haute Renaissance, le second au cours du XIXe siècle. Des peintres de la première Renaissance tels que Van Eyck (p. 14) ou Bellini (p. 20) étaient considérés comme des hommes de métier, dont les activités étaient appuyées et réglementées par une corporation. Au début du XVIe siècle, Léonard de Vinci (p. 24) revendique pour l'artiste un statut différent qui lui permettrait d'être traité, socialement et intellectuellement, à l'égal des plus grands. Raphaël (p. 32), Michel-Ange (p. 28) ou Titien (p. 34) partagèrent cette aspiration, tout comme les artistes les plus ambitieux du Nord, tel Dürer (p. 26). Ces grands artistes établirent ensemble un modèle de comportement qui persiste jusqu'à nos jours.

Courtisans et commerçants. Avant le XIXe siècle, il est rare de trouver un artiste rebelle qui, comme le Caravage (p. 38), défie ostensiblement les conventions. Au contraire, beaucoup d'artistes en vue au XVIIe siècle – par exemple Rubens et Velázquez (p. 46) – étaient des diplomates ou des courtisans qui menaient une vie d'homme public. Poussin (p. 44) œuvrait en solitaire mais toujours en suivant une ligne de conduite originale. Dans la république hollandaise, nouvellement fondée, des artistes ayant des motivations commerciales manifestes, comme Terborch (p. 50) ou le jeune Rembrandt (p. 48), ont choisi de fournir à une bourgeoisie prospère les sujets et les portraits convenant à sa richesse et à ses ambitions.

Professionnels et romantiques. La Révolution fut à l'origine de profonds changements sociaux et politiques. Le milieu privilégié des monarques et des aristocrates qui avait encouragé un Fragonard (p. 58) ou un Reynolds (p. 56) entra en déclin. Comme il arrive au cours de toutes les périodes de grands bouleversements, les arts commencèrent à attirer des personnalités

Velázquez
La vie de Velázquez est liée à celle de la cour d'Espagne. Il avait l'ambition d'accéder à de hautes charges. Il croyait avec ferveur à la royauté de droit divin. Son influence a largement dépassé celle d'un peintre.

Turner
Le début du XIXe siècle a marqué un tournant dans le développement du rôle de l'artiste. Dans tous les arts, les créateurs ont cherché une nouvelle liberté d'expression dans l'intensité de l'expérience personnelle.

nouvelles. Une nouvelle idée de la liberté était dans l'air, et l'esprit romantique l'exploita pour exprimer des émotions personnelles et pour peindre en se fondant sur des expériences individuelles. Ce fut vrai pour des peintres tels que Turner (p. 66), Delacroix (p. 72) ou Friedrich (p. 64) comme ce le fut pour des poètes, des romanciers et des musiciens. Il s'ensuivit une période d'invention créatrice extraordinaire, rompant de manière souvent violente et passionnée avec les normes académiques.

Modernes et solitaires. La tradition classique, avec son admiration pour l'Antiquité et sa haute formation technique, se poursuivit parallèlement au romantisme. Elle s'exprima dans le génie d'Ingres (p. 70) et, de façon moins intéressante, dans les œuvres de ces artistes prolifiques mais ennuyeux que l'on a appelés académiques. Mais la liberté héritée du romantisme conduisit, dans la seconde moitié du XIXᵉ siècle, à l'apparition de véritables novateurs. Des peintres aussi différents que Courbet (p. 74), Klimt (p. 94) ou Cézanne (p. 82) cherchèrent obstinément à développer un style et des formes en accord avec les nouvelles préoccupations qui se faisaient jour. Klimt, par exemple, cherchait à retrouver cette union de la peinture et des métiers d'art qui avait disparu à la haute Renaissance. D'autres, comme Whistler (p. 80), défiaient ouvertement les conventions et se heurtaient de front aux critiques. Des solitaires comme Van Gogh et Gauguin (p. 88), rétifs à la société industrielle et massifiée, trouvèrent dans la peinture une évasion et un réconfort. Ils recherchèrent dans leur art l'accomplissement spirituel que la société moderne leur refusait.

Cézanne
Cézanne n'eut jamais besoin de vendre ses toiles pour vivre, aussi pouvait-il ignorer les exigences de la mode. Ne possédant toutefois pas la virtuosité nécessaire à une formation académique stricte, il n'avait d'autre solution que de se tourner vers la nature et de reproduire ce qu'il voyait et ressentait sans se laisser guider (ni contraindre) par des règles préconçues. D'où ses expériences et ses innovations révolutionnaires.

L'avant-garde. Notre siècle remet en question une grande partie des dogmes établis depuis la Renaissance en matière d'arts, de sciences et de techniques. Les maîtres modernes, tels Picasso (p. 102), Matisse (p. 98), Kandinsky (p. 96) et Klee (p. 100), ont pratiqué les arts dans l'intention d'en d'expérimenter de nouvelles règles. Comme Einstein, Freud, Stravinsky ou même comme les aviateurs qui furent les premiers à oser voler, les artistes modernes avaient conscience de s'aventurer dans l'inconnu. Les plus audacieux et les plus héroïques réussirent dans leur quête et le modèle de l'innovation radicale, dont ils ont fait un idéal, s'est prolongé jusqu'à la moitié du siècle avec l'émergence d'artistes hypermodernes tels que Pollock (p. 108). Ces artistes contemporains de grand prestige, qui captent l'attention des médias, ont été accusés de provoquer délibérément le public. Sont-ils aussi révolutionnaires et choquants qu'ils le prétendent ou établissent-ils un nouvel académisme ? Bien entendu, il a toujours été plus aisé de reconnaître les grands artistes du passé, qui ont réussi l'épreuve du temps et dont les œuvres ont pour nous un pouvoir de conviction et une signification, que de prédire qui, parmi tant de contemporains encensés, méritera encore mention dans cinquante ou cent ans.

Turner respecta, dans ses débuts, la tradition des maîtres italiens et hollandais, mais sa soif de nouveauté lui fit remettre en question ses acquis. Les innovations radicales de ses dernières œuvres choquèrent les critiques et même ses amis peintres.

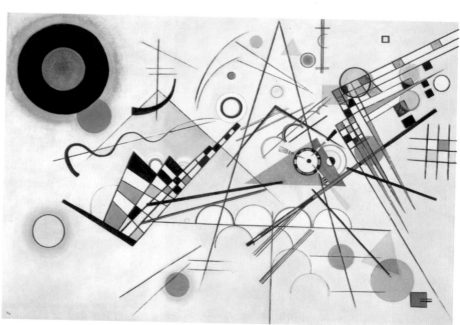

Kandinsky
Kandinsky fut le premier peintre abstrait, pionnier d'une nouvelle forme d'art en quête d'accord avec la sensibilité et les découvertes du début du XXᵉ siècle. Comme les autres novateurs dans les domaines des arts, des sciences et des techniques, il était mû surtout par la soif de connaissance, et non par l'ambition.

LES FRÈRES DE LIMBOURG (?-1416)

Les frères de Limbourg vécurent et travaillèrent pendant l'une des grandes périodes de bouleversements et de changements qui ont modelé l'art et l'histoire de l'Europe : les attitudes et les idées qui formaient et informaient l'esprit médiéval cédaient la place aux nouvelles aspirations qui trouveraient leur plein épanouissement à la Renaissance. On pense qu'ils étaient trois : Paul, Herman et Jean. Cependant les détails les concernant sont maigres. Ils étaient nés aux Pays-Bas, où leur père était sculpteur sur bois. Sur le conseil d'un oncle peintre, on les envoya en apprentissage à Paris et il est vraisemblable qu'à un certain moment Paul visita l'Italie. Comme tous les artisans du Moyen Âge, les frères travaillaient ensemble, en équipe, à la production de différents ouvrages : enluminures de manuscrits, argenterie, émaux, décoration d'églises et d'habitations. Leur talent exceptionnel fut heureusement reconnu par le plus grand mécène de l'époque : Jean, duc de Berry.

Un autoportrait ?
On a supposé que les frères se sont représentés parmi les convives : le personnage au bonnet gris serait Paul.

LES TRÈS RICHES HEURES

Ces deux illustrations sont extraites du livre d'heures intitulé Les Très Riches Heures du duc de Berry, *un chef d'œuvre d'enluminure et de peinture de manuscrit, commencé pour le duc vers 1408. Celle de gauche figure janvier, le mois où l'on échange des cadeaux ; celle de droite, juin, avec un groupe de paysans travaillant sur les terres du duc.*

UNE TAPISSERIE DÉTAILLÉE
La scène représente un banquet d'hiver, donné par le duc. Les murs sont couverts d'une tapisserie décrivant minutieusement une bataille. Les détails ont probablement été peints à l'aide d'une loupe et de pinceaux extrêmement fins.

■ Les frères de Limbourg semèrent les premières graines d'idées et de thèmes qui s'épanouiraient progressivement dans l'art de l'Europe du Nord : le paysage, le portrait, la narration et la scène de genre, ainsi que l'obsession du détail exact.

Le souci du détail
Cette œuvre manifeste un remarquable souci du détail et de l'observation directe : les deux petits chiens qui mangent à table en donnent un bon exemple.

UN BANQUET SOMPTUEUX
La table nappée de damas est couverte de mets somptueusement présentés dans de la vaisselle d'or. À la gauche du duc est posée une grande salière d'or, en forme de bateau. Le sel coûtait cher mais était essentiel à la conservation des viandes : une salière luxueuse était donc un symbole de richesse. Son importance dans la composition pourrait indiquer qu'elle est l'œuvre d'un des frères de Limbourg.

ŒUVRES CLÉS

• *La Genèse*, 1402. BNF, Paris.

• *Le Jardin d'Éden* (dans les *Très Riches Heures*), v. 1415. Musée Condé, Chantilly.

▲ **Frères de Limbourg :**
Les Très Riches Heures du duc de Berry : Janvier, v. 1415, 29 x 20 cm, gouache sur vélin.
Musée Condé, Chantilly.

LE DUC DE BERRY
Le duc est de profil, se découpant sur un pare-feu d'osier. Derrière lui, son chambellan accueille chaque invité en prononçant les mots « Approche, approche ! », inscrits en lettres d'or au-dessus de sa tête.

La condition de l'artiste

DES ARTISTES TELS QUE les frères de Limbourg occupaient une position intermédiaire entre le milieu aristocratique et celui des manouvriers. Sans doute accompagnaient-ils le duc dans ses déplacements d'un château à l'autre. Convives aux banquets, ils observaient à la fois le monde rural et celui des courtisans, sans appartenir à aucun des deux. Leur niveau de vie et leur bien-être dépendaient entièrement de l'approbation et du patronage des princes ou de l'Église.

L'hôtel de Nesle
On voit au fond une image détaillée de la résidence du duc à Paris : l'hôtel de Nesle. Sous le mur d'enceinte coule un petit bras de la Seine, bordé de saules têtards. L'hôtel n'existe plus.

LA TECHNIQUE
Les frères peignaient à la gouache (peinture à l'eau, mais opaque) sur du vélin (parchemin de veau). L'or déposé sur du bleu est une des caractéristiques de leur travail.

LES SIGNES DU ZODIAQUE
Au-dessus de chaque scène, il y a le signe zodiacal du mois. Le dieu solaire sur son char est inspiré d'une médaille que possédait le duc de Berry et qui montrait l'empereur Héraclius ramenant la Vraie Croix à Jérusalem.

■ Les deux images dénotent un sens aigu du dessin, conforté par une perspective empirique. Personnages, arbres, objets et bâtiments forment des blocs nets et bien définis. L'unité est complète et satisfait le regard ; la composition est harmonieuse.

LA DOMINATION DE L'ÉGLISE
Au Moyen Âge, l'Église dominait toute la société, en encourageant la piété au moyen des puissants messages visuels que lui procuraient l'architecture, les vitraux, la décoration murale et l'ornementation des châsses. L'enluminure des manuscrits était réservée aux nobles et aux clercs.

■ Le goût naturaliste est une nouveauté en Europe du Nord pour ce genre d'ouvrages. Il pourrait être le résultat du voyage de Paul en Italie. Les frères de Limbourg ont peut-être aussi pu voir des œuvres de maîtres français et italiens dans la bibliothèque du duc de Berry.

DÉTAILS NATURALISTES
Les saules sur la rive et la fumée montant d'une cheminée sont des exemples du goût tout nouveau pour l'observation directe et sans préjugé du monde réel. Cette tendance fut l'un des éléments qui contribuèrent à miner l'ordre intellectuel du Moyen-Âge.

"Véritablement, l'art est enchâssé dans la nature ; qui peut l'en extraire le possède."
ALBRECHT DÜRER

◄ **Frères de Limbourg :**
Les Très Riches Heures du duc de Berry : Juin, v. 1415, 29 x 20 cm, gouache sur vélin. Musée Condé, Chantilly.

■ Le livre d'heures servait à guider son propriétaire dans ses dévotions, aux différents moments de la journée. L'introduction en était toujours un calendrier, généralement illustré de façon appropriée aux activités de chaque mois.

LA FENAISON
Hors les murs du château, l'activité principale est la fenaison, une tâche partagée entre les hommes et les femmes.

■ Les *Très Riches Heures* étaient inachevées lorsque les frères de Limbourg moururent, en 1416, probablement de la peste. Elles furent terminées après 1480 par Jean de Colombe.

1400-1420

1400	Guerre de Cent Ans entre la France et l'Angleterre.
1406	Venise s'empare de Padoue et Florence, de Pise.
1407	Guerre entre les Armagnacs et les Bourguignons.
1415	Donatello, *Saint Georges*.
1417	Fin du Grand Schisme d'Occident. Élection d'un pape romain unique, Martin V.
1419	Alliance entre Henry V et Philippe le Bon, duc de Bourgogne.

JAN VAN EYCK (?-1441)

Le retable de l'Agneau mystique est la plus célèbre des œuvres de l'art primitif flamand. Il a été peint par deux frères, et ce n'est pas chose aisée de déterminer l'importance de la participation de chacun. On ne sait presque rien au sujet de l'aîné, Hubert, mais la vie de Jan est bien connue. Il est né près de Maastricht. Après son apprentissage, il entra au service du comte de Hollande. En 1425, il devint peintre à la cour de Philippe le Bon, duc de Bourgogne (1396-1467). Celui-ci, qui le tenait en haute estime, le chargea de missions diplomatiques en Espagne et au Portugal, au moment où le duc demanda en mariage l'infante Isabelle. Par l'échelle, la largeur de vues, le réalisme et la technique de son œuvre, il contribua à l'établissement d'un nouveau style pictural qui marqua toute l'Europe du Nord et influença grandement l'art italien.

Jan van Eyck

LE RETABLE DE *L'AGNEAU MYSTIQUE*

Par sa thématique riche et complexe, comme par sa technique et ses innovations remarquables, ce polyptyque est l'un des chefs-d'œuvre de l'art chrétien. Il a eu une histoire mouvementée : il échappa de peu à la destruction par les calvinistes en 1566, il fut démantelé en 1816 (et certains de ses panneaux furent vendus), puis endommagé par le feu en 1822. Il fut enfin réassemblé en 1920.

REGISTRE SUPÉRIEUR
Le registre supérieur montre, de l'extérieur vers l'intérieur, Adam et Ève, des anges musiciens, la Vierge, Jean-Baptiste et Dieu le père. Van Eyck a peint, avec Adam et Ève, des nus d'un réalisme sans précédent.

L'adoration de l'Agneau
Le panneau principal représente l'adoration de l'Agneau, symbole de Jésus-Christ et de la résurrection, placé entre la fontaine de vie, symbole de rédemption, et la colombe du Saint-Esprit.

> **❝ *Son œil était à la fois et en même temps un microscope et un télescope.* ❞**
>
> ERWIN PANOFSKY

ŒUVRES CLÉS

- *La Femme du peintre,* 1433. Musée communal des Beaux-Arts, Bruges.
- *Les Époux Arnolfini,* 1434. National Gallery, Londres.
- *La Vierge au chanoine Van der Paele,* 1434-1436. Musée communal des Beaux-Arts, Bruges.

UN SEUL HORIZON
Les panneaux du bas, bien que contenant des dizaines de personnages formant différents groupes, reçoivent leur unité d'une même ligne d'horizon, animée par les tours et les arbres. Le registre supérieur est unifié par les attitudes des figures tournées vers le centre.

LES BIENHEUREUX
En bas, à gauche, on voit les juges intègres (à l'extérieur) et les guerriers du Christ (à l'intérieur). En bas, à droite, les saints ermites (à l'extérieur) et les saints pèlerins (à l'intérieur).

LES SUJETS ET LES SYMBOLES bibliques et mythologiques constituaient un langage artistique universel, compris dans toute l'Europe et montrant l'influence bien enracinée de la civilisation antique aussi bien que le pouvoir de l'Église catholique. Si de grands maîtres tels que Jan van Eyck ont mis en œuvre leurs propres convictions spirituelles et leur expérience personnelle, en imposant ainsi un style et une nouvelle iconographie, le sujet et son contenu religieux importaient plus que l'esthétique. Le changement de priorité en art, mettant l'accent sur l'émotion esthétique ou le symbole, n'interviendra qu'au XIXe siècle (p. 64).

■ Le retable est un polyptyque. Bien que de grande dimension dans son ensemble, il se compose de panneaux assez petits. Les techniques méticuleuses de la peinture du Nord s'accommodaient mieux d'ouvrages à petite échelle. Dans le polyptyque se combinent les vertus du petit format et celles d'une dimension propre à impressionner. Les ailes peuvent se replier sur les panneaux centraux et douze panneaux supplémentaires en décorent le revers.

Arbres exotiques
Van Eyck a peint avec grand luxe de détail des palmiers, des grenadiers et des orangers. Il faut peut-être situer l'œuvre après ses voyages diplomatiques de 1427 et 1428 en Espagne et au Portugal.

UN NOUVEAU RÉALISME
Van Eyck introduit un réalisme qui ne s'était pas encore vu. À la différence de Masaccio (p. 12), qui possédait une connaissance rationnelle de la perspective et de l'anatomie, il se fie entièrement à l'observation, en reproduisant avec la plus grande fidélité les détails ainsi que les contrastes de lumière et d'ombre.

UNE DOUBLE SIGNIFICATION
Lue suivant l'axe vertical, la figure centrale peut être interprétée comme Dieu le père, au-dessus du Saint-Esprit et de l'Agneau du Christ. Regardée suivant l'axe horizontal, elle peut être considérée comme le Christ en gloire, entre la Vierge et saint Jean-Baptiste.

CAÏN ET ABEL
Dans la lunette, au-dessus d'Ève, est représenté le meurtre d'Abel par Caïn ; au-dessus d'Adam, les offrandes de Caïn et d'Abel. Van Eyck utilise la grisaille pour imiter un bas-relief.

■ En 1823, on trouva une inscription au dos du retable, rédigée après que l'œuvre eut été terminée : « Le peintre Hubert van Eyck, que nul n'égale, a commencé cet ouvrage et son frère Jan son second dans l'art, l'a terminé à la requête de Joos Vijd, qui vous invite par la présente à le contempler le 6 mai 1432 ». On pense que Jan repeignit le retable qu'Hubert avait conçu et auquel il travailla jusqu'à sa mort en 1426.

LA PEINTURE À L'HUILE
Pionnier de la peinture à l'huile, van Eyck a usé de cette nouvelle technique avec une dextérité rarement surpassée. La peinture à l'huile est très souple et permet à l'artiste de subtiles gradations de lumière et d'ombre, des couleurs riches et pleines et des reflets brillants.

■ Dürer (p. 26) vit le retable en 1521 et le jugea « magnifique ». Le style méticuleux de van Eyck influença plus tard les romantiques allemands (p. 64) mais les vrais successeurs en sont les maîtres hollandais du XVIIe siècle, avec leur goût pour le paysage et le détail vériste.

◄ **Jan Van Eyck :** retable de *l'Agneau mystique*, 1432, 350 x 461 cm, huile sur bois.

1430-1450	
1431	Jeanne d'Arc brûlée vive à Rouen.
1433	Donatello, *David*.
1434	Retour d'exil de Cosme de Médicis, qui reprend le pouvoir à Florence.
1440	Fra Angelico entreprend l'*Annonciation*.
1443	Jacques Cœur fait édifier sa maison de Bourges.
1445	Découverte du Cap-Vert par Diaz.
1450	Le pape Nicolas V autorise les Portugais à « asservir les ennemis du Christ » en Afrique.

VAN DER GOES (?-1482)

Hugo Van der Goes est un artiste d'une incontestable grandeur, dont on sait peu de chose. Sa réputation repose pour l'essentiel sur l'un des chefs-d'œuvre de la fin du XVᵉ siècle : le triptyque Portinari. Aucune autre de ses œuvres n'est certifiée authentique, bien que quelques-unes lui soient attribuées sur la base de comparaisons stylistiques à partir de rares documents conservés. On sait qu'il a travaillé en 1467 à Gand, où il a peint des décors pour des événements publics tels que les mariages de Philippe le Bon et de Charles le Téméraire. En 1475, Van der Goes devint doyen de la corporation gantoise des peintres mais il passa les sept dernières années de sa vie comme frère convers dans un prieuré bruxellois, dont il était en quelque sorte la célébrité et où il reçut la visite de l'archiduc Maximilien de Habsbourg. Les raisons de cette retraite monastique ne sont pas connues. Il est cependant attesté qu'en 1481, ses facultés sombrèrent. Il mourut l'année suivante.

Hugo Van der Goes

❝ *La peinture flamande plaît mieux que l'italienne à tous les dévots. La première les fait pleurer abondamment... Les tableaux flamands plaisent aux femmes... et aux hommes du monde qui ne sont pas capables de comprendre la véritable harmonie...* ❞

MICHEL-ANGE

LE TRIPTYQUE PORTINARI

Florentin résidant à Bruges où il dirigeait le comptoir bancaire des Médicis (p. 22), Tommaso Portinari commanda à l'artiste cet imposant retable, destiné à occuper la place d'honneur de la chapelle Portinari, en l'église de l'hôpital Santa Maria Novella, à Florence.

GRANDEUR NATURE
Les dimensions monumentales de l'œuvre ont été spécifiées par Portinari, qui voulait un retable de même taille que ceux qui se trouvent habituellement dans les églises italiennes. Les saints sont grandeur nature.

■ Cette œuvre fit un effet considérable lorsqu'on la vit pour la première fois à Florence. Les peintres italiens furent impressionnés par le traitement naturaliste des détails et par les couleurs, dues à l'emploi de la peinture à l'huile. L'un et l'autre de ces éléments firent peu après leur entrée dans l'art italien.

1450-1470

1452	Domination des Habsbourg sur le Saint-Empire romain germanique.
1453	Prise de Constantinople par les Turcs. Fin de la guerre de Cent Ans.
1455	Gutenberg, maître d'œuvre de la Bible de Mayence.
1460	Mantegna, *Saint Sébastien*.
v. 1464	La *Farce de Maître Pathelin*.
1468	Entrevue de Péronne entre Louis XI et Charles le Téméraire.
1469	Laurent de Médicis au pouvoir dans la République florentine.
1470	En Afrique, des explorateurs portugais atteignent la Côte-d'Or.

■ Van der Goes et son client ont dû discuter en détail avant de négocier un prix et un délai pour l'achèvement du retable. Le choix du sujet, le symbolisme, la taille et les pigments ont sans doute été choisis de commun accord et spécifiés par contrat.

LES PATRONS DES PORTINARI
Van der Goes use de symboles que l'on comprenait dans toute l'Europe. Par exemple, chaque membre de la famille Portinari est placé sous la protection de son saint patron. Saint Thomas est reconnaissable à sa lance, saint Antoine à sa cloche.

ANGES SYMBOLIQUES
Les quinze anges ont été interprétés comme une référence aux quinze joies angéliques.

PÈRE ET FILS
Tommaso Portinari est agenouillé en prière. Derrière lui se tiennent ses deux fils : Antonio (à l'extrême gauche), né en 1472, et Pigello, né en 1474. Pigello a été ajouté tardivement, ce qui indiquerait que l'ouvrage était déjà bien avancé à la date de sa naissance. Trois autres enfants naquirent entre 1476 et 1479.

■ Laurent de Médicis ne maîtrisa pas la gestion de ses opérations à l'étranger. Portinari octroya imprudemment des prêts qui entraînèrent d'énormes pertes. Aussi la banque Médicis à Bruges dut-elle fermer.

▲ Hugo Van der Goes : triptyque Portinari, v. 1475, 254 x 140 cm, huile sur bois. Offices, Florence.

ŒUVRES CLÉS

• *Le Paradis terrestre,* v. 1470.
Kunsthistorisches Museum, Vienne
(Autriche).
• *La Mort de la Vierge,* v. 1480.
Musée communal des Beaux-Arts,
Bruges.

Fleurs symboliques

*La nature morte du premier plan
est l'un des détails les plus raffinés
du tableau. Le vase de terre cuite est
un albarello (probablement espagnol).
Le lis écarlate symbolise le sang et la
passion du Christ ; les fleurs blanches,
la pureté de la Vierge.*

UN SUJET COMPOSITE
Le panneau central illustre la façon dont les idées
artistiques s'échangeaient à l'époque entre les
Pays-Bas et l'Italie. L'image de la Vierge à l'Enfant
est une variation sur un thème courant dans l'art
flamand. Celle de l'adoration des bergers se trouve
communément dans l'art italien. La façon dont
elles sont combinées ici n'a pas de précédent.
L'Enfant nu, gisant sur le sol, est typique
de l'art du Nord.

Les mages

*Sur le panneau de droite, les trois mages
figurent dans un paysage d'hiver.
La peinture italienne montre rarement
une saison ou un lieu aussi spécifiques.*

LES PAYS-BAS

Aux Pays-Bas méridionaux prospéraient le commerce, la navigation et la banque. Les artistes convergèrent de partout, vers des villes aussi florissantes qu'Anvers, Gand et Bruges. Cependant cette région était aussi un perpétuel champ de bataille car elle attisait les rivalités politiques et militaires entre grandes puissances européennes. Aussi beaucoup d'œuvres d'art, de documents et même de bibliothèques y furent-ils détruits par la suite, surtout pendant les troubles de la Réforme. En comparaison de ce qu'elle a produit, la peinture flamande a laissé peu d'œuvres et peu d'informations concernant ses artistes.

■ Les artistes du Nord s'intéressaient plus aux objets et à leur signification symbolique qu'à la perspective rationnelle. Il n'y a pas d'explication théorique aux étranges variations d'échelle qui affectent les personnages du triptyque Portinari : Van der Goes s'est simplement efforcé d'organiser une composition aux dimensions peu familières pour lui.

LES VISAGES
Tous les visages ont la qualité d'un
portrait d'après nature. Les attitudes se
veulent expressives. Les vêtements
reproduisent la mode du temps.

RÉFÉRENCES SYMBOLIQUES
Chaque objet possède une valeur symbolique
codifiée : la gerbe de blé réfère à Bethléem, la sandale
à la Terre sainte. L'ancolie pourpre renvoie à la douleur
de la Vierge et l'œillet rouge, peut-être, à la Trinité.

■ Le souci que lui causait son art contribua à l'instabilité mentale de Van der
Goes, qui tenta au moins une fois de se suicider. Un commentaire peu compatissant sur sa maladie a été écrit par Gaspar Ofhuys, un moine du prieuré de
Rouge-Cloître. Il laisse entendre que les crises prenaient la forme d'une manie
religieuse. L'artiste révéré se sentait certainement coupable du péché d'orgueil.

MARIA PORTINARI
À genoux : Maria, la femme de Portinari, et sa fille Marguerite
Le dragon, entre elles, est un attribut de sainte Marguerite,
qui se tient à côté de sainte Marie-Madeleine, porteuse du
flacon à parfum, attribut distinctif de son iconographie.

17 • VAN DER GOES

PIERO DELLA FRANCESCA (v.1410-1492)

Piero della Francesca, l'un des plus grands artistes de la première Renaissance, est né dans la petite ville toscane de Sansepolcro (à l'époque, Borgo San Sepolcro), à laquelle il resta profondément attaché et dont il fut un moment édile. Il était encore jeune lorsque son père mourut. Après 1430, il travailla à Florence avec Domenico Veneziano (mort en 1461). Bien qu'il ait étudié ces pionniers qu'étaient Masaccio (p. 12) et Donatello (v.1386-1466), Piero resta un maître indépendant, à la personnalité affirmée. Il œuvra hors de Florence, ayant reçu des commandes de sujets religieux et de portraits à Rome, Ferrare, Rimini et Urbino. Son art fait d'ordre et de clarté diffère beaucoup de celui, sensuel mais aussi intellectuel, de Botticelli (p. 22), à la mode dans la Florence de la fin du XVᵉ siècle. Comme beaucoup d'artistes et d'artisans, il vécut une vie provinciale sans histoire et mourut relativement ignoré.

Piero della Francesca

BATTISTA SFORZA
Intelligente, cultivée, la duchesse d'Urbin exerçait une grande influence. Elle gouvernait la ville lorsque son mari Federico était parti pour l'une de ses fréquentes campagnes militaires.

■ Urbino était l'un des États les mieux gouvernés de la Renaissance. Federico da Montefeltro (1442-1482) y régnait sur 150 000 habitants. C'était un condottiere qui fit souvent pencher en sa faveur l'équilibre des forces. En conséquence, ses sujets payaient peu d'impôts et jouissaient d'une paix stable. Urbino est le lieu de naissance du grand architecte Bramante (1444-1514), qui pourrait avoir donné des leçons de perspective à Piero.

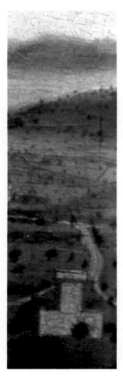

LA LUMIÈRE
Le traitement de la lumière est extrêmement délicat et fondé sur une observation attentive. Ici, elle tombe de la droite, de façon convaincante et naturelle. Piero en a aussi usé pour créer l'illusion de la profondeur par les ombres et les zones obscures, les couleurs chaudes du premier plan et les dégradés du fond.

Le paysage du fond
L'introduction d'un paysage au fond du tableau est une innovation dans l'art italien. L'idée vient de la peinture flamande. Piero vit peut-être des œuvres de Rogier van der Weyden lorsqu'il travailla à Ferrare, en 1450.

ŒUVRES CLÉS

• *Madone de miséricorde*, 1445. Pinacoteca comunale, Sansepolcro.

• *Le Baptême du Christ*, v. 1450. National Gallery, Londres.

• *La Légende de la Vraie Croix*, v.1452-1457. San Francesco, Arezzo.

• *La Résurrection du Christ*, v. 1453. Pinacoteca comunale, Sansepolcro.

▲ **Piero della Francesca :** *Battista Sforza*, 1472, 47 x 33 cm, tempera sur bois. Offices, Florence.

LE COSTUME DE BATTISTA
La manche de brocart est ornée d'un dessin au fil d'or où sont stylisés des pommes de pin, des chardons et des grenades, symboles de fécondité et d'immortalité.

SANSEPOLCRO
La ville, derrière Battista, n'est pas Urbino mais Sansepolcro, la ville natale de Piero.

Le nez de Federico
La forme étrange du nez de Federico est due à une blessure reçue au cours d'un tournoi en 1450. Pour plaire à une amie, il soutint une joute à visière levée. La lance de son adversaire heurta le nez découvert et en brisa l'arête. L'œil droit fut sérieusement endommagé, lui aussi.

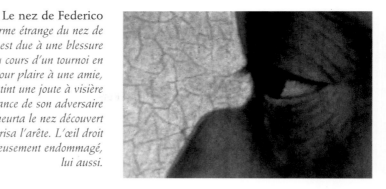

■ Piero est mort en 1492. C'est une des dates les plus importantes de l'histoire mondiale : l'année du voyage de Colomb vers le Nouveau Monde, grâce auquel la sphéricité de la terre fut démontrée.

● LE PROFIL
Piero montre le profil gauche de Federico, de sorte qu'on ne puisse voir l'œil blessé (voir ci-dessus, à droite). La pose strictement de profil, typique de l'époque, manifeste l'influence des médailles romaines.

■ Ces portraits ont été conçus comme un diptyque : les deux panneaux étaient assemblés par le milieu. Ils sont peints au verso de scènes explicitées par les mentions : *Le Triomphe de Federico* et *Le Triomphe de Battista*.

FEDERICO DA MONTEFELTRO

Le plus célèbre des ducs d'Urbino, Federico, qui régna de 1444 à 1482, est le modèle des princes de la Renaissance. Sobre, droit et profondément religieux, il était sans peur et victorieux sur les champs de bataille, mais ce fut aussi un érudit, excellent connaisseur des arts. Il aimait et recherchait la compagnie des poètes et des peintres, et il fonda une école pour les princes et les humanistes.

■ Le palais de Federico, à Urbino, est l'un des plus beaux exemples d'architecture du début de la Renaissance. Il abritait la magnifique bibliothèque lambrissée où le duc conservait des manuscrits enluminés (il n'y tolérait pas de livres imprimés). Sa collection de trésors d'art fut pillée et dispersée en 1502 par César Borgia, capitaine général des armées pontificales.

● LES DÉFAUTS PHYSIQUES
Bien que la pose soit contrainte, le portrait est réaliste et détaillé, ce qui montre l'influence de la peinture flamande (p. 18).

> ❝ *La peinture comprend trois parties principales : le dessin, la proportion et la couleur.* ❞
>
> PIERO DELLA FRANCESCA

● LA PERSPECTIVE
Piero s'adonna à une étude approfondie de la perspective, en entreprenant de rigoureuses recherches mathématiques et en publiant un traité, qu'il dédia à Federico. Ici, le paysage n'est pas traité suivant la perspective mathématique et ne décrit pas un lieu réel. On a supposé que, les collines paraissant s'élever sur une surface courbe, Piero était au courant des dernières théories exposant que la terre est sphérique et donc sa surface courbe.

◄ **Piero della Francesca :** *Federico da Montefeltro,* v. 1472, 47 x 33 cm, tempera sur bois. Offices, Florence.

● UN POINT DE VUE ÉLEVÉ
Le point de vue nous induit à penser que le duc est assis dans une loggia dominant le paysage. Léonard de Vinci (p. 24) révolutionna le portrait en introduisant la pose de trois-quarts, moins figée.

■ On dit que Piero a perdu la vue dans sa vieillesse. Il se concentra alors sur les études de calcul et de géométrie, et il publia son traité *De Prospectiva pingendi*.

1470-1480

1470 Première imprimerie française.

1472 Dante, *La Divine Comédie.*

1473 Le pape Sixte Quint fait construire la chapelle Sixtine au palais du Vatican.

1475 Sixte Quint ouvre au public la bibliothèque Vaticane.

1478 Assassinat de Julien de Médicis, conflits politiques à Florence. Botticelli, *Le Printemps.*

1479 Création de l'État espagnol par l'union de l'Aragon et de la Castille.

BELLINI (v. 1430-1516)

Giovanni Bellini vécut à l'époque où la république vénitienne était la plus grande puissance commerciale du monde et où Venise elle-même constituait un carrefour entre l'Europe et l'Orient. Il apprit son métier auprès de son père, Jacopo (v. 1400-1471), et il subit aussi l'influence de son beau-frère, le célèbre Mantegna (v. 1431-1506). Bellini fut le plus grands des madonnieri (peintres de madones) vénitiens, et les sujets mythologiques, qu'il inscrivait souvent dans un paysage. Son enseignement joua un rôle décisif auprès d'élèves comme Giorgione (p. 30) et Titien (p. 34). Il influença fortement le grand artiste allemand Dürer (p. 26) qui, rendant visite au vieux Bellini en 1506, déclara qu'il était toujours « le meilleur à Venise ».

Giovanni Bellini

LE RETABLE DE SAN GIOBBE

Ce retable représente la Vierge trônant avec l'Enfant et entourée de saints : ce sujet, assez usuel, était appelé sacra conversazione (sainte conversation).

C'est une des œuvres les plus monumentales de Bellini, la plus vaste qui nous soit conservée. Rayonnante de sérénité et d'assurance, elle exprime la profondeur de sa foi et son attachement à la République.

LA VOÛTE
Le dessin de la voûte a été calculé en pleine connaissance des lois mathématiques de la perspective, récemment établies. Bellini a appris la perspective et le dessin d'architecture auprès de Mantegna et de Piero della Francesca (p. 12).

L'INSCRIPTION
L'inscription *Ave virginei flos intemerate pudoris* signifie : « Salut, fleur immaculée de pudeur virginale ». Elle invoque la Vierge en tant que protectrice de Venise : selon la tradition, la ville a été fondée en 421, le 25 mars, jour de l'Annonciation. Le retable célèbre donc, de façon ambivalente, la pureté de Marie et la fondation de Venise.

LE CADRE ARCHITECTURAL
L'architecture du tableau reproduit celle de l'église. Bellini a délibérément créé l'illusion que la chapelle représentée en peinture faisait partie de l'église elle-même et que les personnages, grandeur nature, y étaient réellement présents.

1480-1485

v. 1480 Verrocchio achève *La Vierge et l'Enfant.*

1480 Laurent de Médicis et le pape Sixte Quint font la paix.

1481 Début de l'Inquisition espagnole. Mort du sultan ottoman Mahomet II.

1482 Venise déclare la guerre à Ferrare. Traductions de Platon par Marsile Ficin. Traité de Picquigny, officialisant la fin de l'État bourguignon.

1485 Traités d'Alberti, *De la peinture* et *De l'architecture.* Découverte du Congo par les Portugais. Innocent III accède au pontificat et condamne la sorcellerie.

LA PERSPECTIVE
La voûte est visible parce que la ligne d'horizon est placée bas, précisément au niveau du banc sur lequel les anges sont assis.

■ La fidélité de Bellini à Venise lui a valu les honneurs de la République. En 1483, il fut nommé peintre officiel d'État et exempté des taxes normalement payées par les artistes à leur corporation. Avec son frère aîné Gentile (v. 1429-1507), il entreprit pour le palais des Doges des scènes rappelant les triomphes de l'histoire vénitienne. Il travailla trente-cinq ans à ce projet, commencé en 1494. Les peintures furent détruites par le feu en 1577.

LE LAURIER
Les feuilles de laurier suspendues au-dessus de la Vierge symbolisent sa pureté, à laquelle fait allusion l'inscription voisine. Les feuilles de laurier symbolisent aussi la victoire, et la Vierge apparaît ici « victorieuse » sur son trône de « reine des cieux ».

ŒUVRES CLÉS

• *Le Christ au jardin des Oliviers,* 1460. National Gallery, Londres.

• *La Transfiguration,* v. 1490. Musée de Capodimonte, Naples.

• *La Vierge trônant avec des saints,* 1505. San Zaccaria, Venise.

La technique de l'huile

L'illusion de la lumière est créée par l'usage subtil que fait Bellini de la peinture à l'huile. Sa palette de couleurs est limitée à des couleurs chaudes que relient des demi-teintes savamment travaillées. Il fut l'un des premiers artistes à maîtriser la technique de l'huile, dont il a probablement appris les secrets auprès d'Antonello de Messine, qui séjourna à Venise en 1475-1476. Antonello lui-même les avait reçus d'artistes du Nord, tel van Eyck (p. 14).

UN SAINT PROTECTEUR
Le saint attaché et percé de flèches est Sébastien. Il était populaire à la Renaissance et, comme saint Job, on l'invoquait souvent pour être protégé de la peste, dont les épidémies étaient fréquentes à Venise depuis le milieu du XIVe siècle. Il y en avait eu une sévère en 1478, peu avant la commande de cette œuvre.

LA SÉRÉNISSIME

Sous l'appellation de Sérénissime République, l'État vénitien gouvernait un empire parmi les plus puissants du monde. Il possédait des territoires en Italie du Nord et des colonies en Méditerranée orientale. Située au carrefour des principales routes du commerce international et dotée d'une forte marine de guerre, la République de Venise avait la maîtrise des mers. Les marchandises en provenance de Chine et d'Extrême-Orient, d'Afrique du Nord, d'Espagne et des Pays-Bas transitaient par Venise. Le déclin de la puissance vénitienne commença après la découverte de nouvelles routes maritimes vers l'Orient et avec l'exploration du Nouveau Monde.

LA FERVEUR DES ANGES
Saint Job était le patron de la musique. Deux des trois anges musiciens regardent vers lui avec ferveur.

■ La composition du retable évoque celle de la *Trinité* de Masaccio (p. 12). Bellini n'a pu connaître l'œuvre de Masaccio, sinon par ouï-dire. Du reste, la manière est très différente : Bellini met l'accent sur la lumière et sur la richesse du décor céleste.

Un ange sensuel
Les anges assis aux pieds de la Vierge jouent de divers instruments, évoquant la musique céleste. Venise a toujours été ville de plaisir des sens. Le retable de Bellini reflète cette réalité.

LA SIGNATURE DE L'ARTISTE
Bellini a signé son œuvre en écrivant son nom, à la manière d'une inscription gravée, sur une plaquette fixée au pied du trône.

■ Isabelle d'Este, l'un des plus grands collectionneurs de l'époque, commanda une œuvre à Bellini mais celui-ci laissa passer le délai de livraison et trouva tant d'excuses pour ses retards successifs qu'elle finit par le convoquer à sa cour. Cependant, lorsqu'il eut enfin terminé, elle fut si charmée de son travail qu'elle lui paya un supplément.

MATERNITÉ
La Vierge et l'Enfant font face à la source de chaude lumière dorée qui éclaire le tableau par la droite. Le peintre semble suggérer que cette lumière leur apporte la force de sa clarté spirituelle. Bellini considérait la lumière et le paysage comme des manifestations de la divinité.

LE SAINT PATRON
Job est le saint le plus proche du trône. Souvent invoqué en cas de peste, il était patron de l'hôpital qui a commandé le tableau. Derrière saint Job se tiennent saint Jean-Baptiste, barbu, et saint François d'Assise, reconnaissable au stigmate qu'il porte à la paume de la main.

Giovanni Bellini ▶
Retable de San Giobbe,
v. 1480, 330 x 425 cm, huile sur toile.
Academia, Venise.

BOTTICELLI (1444-1510)

Sandro Botticelli

Sandro Botticelli fut le plus grand peintre florentin de la seconde moitié du XVᵉ siècle. Son style raffiné et linéaire se distinguait du courant principal de l'art florentin mais il rencontra, en des temps troublés, la faveur des milieux érudits de Florence. Ses principaux mécènes furent les Médicis, pour qui il peignit des retables, des portraits, des allégories et des bannières. Ses chefs-d'œuvre sont ses grands tableaux mythologiques, qui proposaient un modèle de beauté élégante, assorti de références littéraires complexes. Après sa mort, son œuvre tomba dans l'oubli pour ne revivre qu'au XIXᵉ siècle, après la redécouverte des peintres antérieurs à Raphaël, les « primitifs » italiens.

> ❝ *Florence était le berceau... des arts, comme Athènes celui des sciences.* ❞
>
> VASARI

ŒUVRES CLÉS

• *Jeune homme à la médaille*, v. 1475. Offices, Florence.

• *L'Adoration des mages*, 1482. National Gallery, Washington.

• *La Naissance de Vénus*, v. 1484. Offices, Florence.

LE PRINTEMPS

Le Printemps dépeint le jardin de Vénus, la déesse de l'amour. Le tableau a probablement été commandé par Lorenzo di Pierfrancesco de' Medici (1463-1503) pour une pièce adjacente à la chambre nuptiale de sa maison de Florence.

MERCURE
Messager des dieux, Mercure porte des chaussures ailées. Il était le fils de la nymphe Maïa, dont le nom a été donné au mois de mai. C'était en mai 1482 que Pierfrancesco de' Medici avait épousé Semiramide d'Appiano. Mercure use de son caducée (bâton portant des serpents entrelacés) pour écarter les nuages, afin que rien ne vienne obscurcir l'éternel printemps du jardin de Vénus.

LES SUIVANTES DE VÉNUS
Botticelli a mis au point un style marqué par la pureté de la ligne. Les doigts entrecroisés, les drapés flottants et les cheveux au vent des trois Grâces montrent toute la perfection de son talent. Les visages, les longs cous, les épaules dégagées, les ventres courbes et les hanches étroites résument l'idéal de beauté féminine de la Renaissance florentine.

Fleurs stylisées
La robe de Flore est symboliquement décorée de fleurs, en léger relief pour imiter la broderie. Botticelli était fasciné par la décoration et la stylisation, comme le montrent, dans ce tableau, l'auréole de feuillage se découpant en silhouette sur le ciel, autour de Vénus, le tapis de fleurs et le motif que forment les fruits dorés et les feuilles d'un vert profond.

Le dieu de l'amour
Botticelli a peint Cupidon, dieu de l'amour, en angelot ventru et espiègle, contrastant avec les figures solennelles et élancées du dessous. Le petit dieu a les yeux bandés : l'amour est aveugle. Il volette au-dessus de sa mère Vénus, en visant l'une des trois Grâces d'une flèche. Il peut s'agir d'un compliment allusif adressé à la femme de Lorenzo di Pierfrancesco.

● LA DÉESSE DE L'AMOUR
Vénus préside à la scène, la main droite levée comme pour bénir. Significativement, elle porte la coiffure caractéristique des femmes mariées florentines : c'est un rappel du thème nuptial de cette peinture.

■ Le vrai nom de Botticelli était Alessandro di Mariano Filipepi. Ses frères et lui reçurent le surnom de Botticelli, qui signifie « tonnelet » en italien, parce que l'aîné, excellent homme d'affaires, faisait commerce de marchandises en barrique. Le sobriquet fait allusion à sa richesse et non à sa stature.

■ Botticelli usait d'un procédé symbolique dont beaucoup d'artistes de la Renaissance étaient friands : cela consistait en un jeu subtil de références dont les clés étaient des jeux de mots et d'images. Ainsi, les flammes sur les vêtements de Vénus et de Mercure se rapporteraient à saint Laurent, patron de Lorenzo ; les fruits dorés seraient une réminiscence des besants d'or sur les armes des Médicis ; enfin Mercure porte un caducée, qui est aussi l'emblème des médecins (signification du nom Medici).

● LE VENT D'OUEST
Cette créature ailée, de couleur bleue, est l'une des inventions les plus originales de Botticelli. C'est Zéphyr, l'esprit du vent d'ouest, héraut de Vénus. Il poursuit son amante, Chloris.

■ Comme tous les artistes de la Renaissance, Botticelli « tenait boutique ». On appelait la sienne l'« académie des badauds », ce qui donne une idée de la popularité du lieu.

FLORE
Déesse des fleurs, Flore donne un axe et un équilibre à la partie droite du tableau. Elle marche d'un pas léger sur une prairie naturelle. Allégorie de la beauté, elle jette des fleurs à la ronde. Elle constitue une référence de plus aux joies du mariage et un emblème de Florence, la « cité des fleurs ».

● CHLORIS ET ZÉPHYR
Derrière Flore, Botticelli a peint Zéphyr poursuivant la nymphe Chloris. Après qu'elle se fut donnée à lui, il la métamorphosa en la déesse Flore. L'iconographie est une « invention » qui montre cette transformation.

◄ **Sandro Botticelli** : *Le Printemps*, v. 1480, 203 × 314 cm, tempera sur bois. Offices, Florence.

1485-1490

1486	Couronnement de Maximilien Ier comme empereur germanique à Aix-la-Chapelle.
1487	Bartolomeu Dias passe le cap de Bonne-Espérance. Reconquête de Malaga par les Espagnols.
1488	Début de l'Inquisition espagnole.
1489	Début de l'usage des symboles mathématiques + et −. Première grande épidémie européenne de typhus, en Aragon.
1490	Apparition du ballet dans les cours italiennes. Crise commerciale à Florence.

LÉONARD DE VINCI (1452-1519)

Le génie le plus complet de la Renaissance, Léonard de Vinci, se situe en marge du courant dominant. Il était bien plus qu'un peintre et un architecte : son esprit inquiet et sa curiosité insatiable l'ont mené à des découvertes et à des innovations importantes dans des domaines aussi divers que l'ingénierie, l'anatomie, l'aéronautique, la théorie de l'art, la musique ou la scénographie. Né à Vinci, près de Florence, il était le fils naturel d'un notaire. Il se forma à Florence chez Andrea del Verrocchio (v. 1435-1488), peintre et sculpteur de talent qui dirigeait un grand atelier. Il passa cependant l'essentiel de sa vie à la cour de ducs et de princes étrangers qui, à l'occasion, faisaient la guerre à Florence. Après 1483, il travailla pour Ludovic Sforza, duc de Milan, puis il retourna à Florence après l'invasion du Milanais par les Français en 1499. Ce fut entre 1500 et 1516 qu'il créa ses œuvres les plus célèbres.

Invité en France par François Ier, il fut nommé premier peintre, ingénieur et architecte du roi en 1517. Il mourut au Clos-Lucé, près d'Amboise.

Leonardo da Vinci

66 *Léonard de Vinci, miroir profond et sombre Où des anges charmants avec un doux souris Tout chargé de mystère, apparaissent à l'ombre Des glaciers et des pins qui ferment leur pays.* 99

BAUDELAIRE

LA VIERGE AUX ROCHERS

Cette œuvre a été commandée par la confrérie milanaise de l'Immaculée Conception pour un retable destiné à Saint-François-le-Grand. Une version antérieure est conservée au Louvre. Cela donnerait à penser que Vinci aurait vendu le tableau original au roi de France plutôt que de le livrer à la confrérie suivant les termes du contrat ; après quoi il aurait exécuté cette seconde version pour satisfaire à ses obligations.

■ L'iconographie est une invention de Léonard qui ne partage avec l'esprit de la Renaissance ni la dévotion chrétienne ni l'admiration pour l'Antiquité. Son inspiration vient de la nature, comme il apparaît clairement ici.

LA BEAUTÉ IDÉALE
Avec son air de jeunesse, ses traits réguliers, ses paupières lourdes et son menton pointu, le visage de la Vierge incarne l'idée que se faisait Léonard de la beauté idéale. Il en a reproduit le type dans plusieurs peintures, et notamment dans la *Joconde*.

Les carnets de Léonard

Toute sa vie, Léonard de Vinci a rempli des quantités de carnets de notes et d'esquisses où l'on trouve ses idées personnelles sur l'art et la science, ses observations de phénomènes naturels et des projets scientifiques et mécaniques.

■ Les notes de Léonard sont écrites dans sa fameuse écriture en miroir, qui se lit de droite à gauche.

▶ **Léonard de Vinci :** *L'Eau,* v. 1508, 20 x 15 cm, encre. Collection royale, Windsor.

UN FOND DE ROCHERS
Les rochers et l'eau ont toujours fasciné Léonard. Sa ville natale, Vinci, domine l'Arno à l'endroit où il pénètre dans une gorge. La première œuvre datable de Léonard est un dessin de paysage aux abords de l'Arno (1473).

■ L'esprit de Léonard était à la fois pratique et théorique : en observant l'aspect des choses, il cherchait à savoir comment elles fonctionnent et ce qu'elles signifient. Il s'intéressait à la relation entre la science et l'art, à la définition de la beauté, et il revendiquait pour l'artiste une place de choix dans la société.

LE DÉGRADÉ

La maîtrise de la lumière et de l'ombre apparaît à l'évidence sur le visage de l'ange : doux éclat des yeux, reflets délicats sur chaque boucle de cheveux, ombres légères. Léonard a introduit la perspective atmosphérique par la technique du *sfumato*, un traitement de la peinture et des contours en dégradé, qui fond les formes l'une dans l'autre. L'effet est réaliste mais renforce le sentiment de l'œuvre.

■ Il était notoire qu'on ne pouvait se fier à Léonard quant à la livraison des commandes, et il laissa beaucoup d'œuvres inachevées.

INACHÈVEMENT

Certaines parties du tableau ne sont pas achevées, telle la main gauche de l'ange posée sur le dos du Christ.

ŒUVRES CLÉS

• *L'Annonciation*, 1472-1474. Offices, Florence.
• *L'Adoration des mages*, 1481. Offices, Florence.
• *La Cène*, 1495-1497. Santa Maria delle Grazie, Milan.
• *La Joconde*, 1503-1506. Louvre, Paris.

■ Léonard cherchait à explorer les motivations sous-jacentes aux actions humaines, aussi bien que leurs causes scientifiques. Ce que nous appellerions aujourd'hui de la psychologie, il l'appelait « les mouvements de l'esprit ».

FRANÇOIS Iᵉʳ ET LÉONARD DE VINCI

François Iᵉʳ (1494-1547) raffermit la monarchie française et fit des arts l'un des moyens de manifester avec éclat son pouvoir. Il admirait la science politique et la culture des Italiens. Érudit, il rapporta de ses guerres des antiquités et des œuvres importantes de grands artistes italiens (dont la *Joconde* de Vinci). Il organisa le mariage de son fils Henri avec Catherine de Médicis et employa des ingénieurs militaires et des courtisans italiens. Il encouragea enfin l'adoption des manières italiennes à la cour. Rien d'étonnant donc à ce qu'il ait reconnu le génie de Léonard et l'ait persuadé de s'installer en France. Une légende veut que Léonard soit mort dans ses bras.

LE GROUPE FAMILIAL

Léonard a adapté le groupe familial conventionnel de la Vierge, de l'Enfant Jésus et de saint Jean, en y ajoutant un ange qui crée le lien avec le spectateur.

LE PREMIER PLAN

Le premier plan est inachevé. Dans la version du Louvre, l'eau ajoute ses jeux de transparence et de miroir.

SAINT JEAN-BAPTISTE

L'auréole et la croix ne figuraient pas sur le tableau original. Elles ont été ajoutées plus tard, par une autre main.

DES MAINS EXPRESSIVES

La main droite de la Vierge repose, d'un geste protecteur, sur l'épaule du Baptiste enfant, alors que la gauche, en raccourci, est suspendue au-dessus de la tête de son fils. Ces attitudes contribuent à unifier la composition, tout en créant une atmosphère mystérieuse.

Léonard de Vinci ▶
La Vierge aux Rochers,
1508, 190 x 120 cm, huile sur bois.
National Gallery, Londres.

1510-1520

1511 Érasme, *Éloge de la folie*.
1513 Jean de Médicis élu pape sous le nom de Léon X.
1514 Début du commerce maritime entre les Portugais et la Chine.
1515 Couronnement de François Iᵉʳ. La France envahit l'Italie.
1517 Questions de Martin Luther sur l'infaillibilité pontificale.
1518 Découverte du Mexique par les Espagnols.
1519 Circumnavigation du globe par Ferdinand Magellan.

■ Léonard a si bien su élever la condition de l'artiste du rang d'artisan doué à celui de virtuose célèbre que, de son vivant même, les collectionneurs venaient de loin pour acquérir une de ses œuvres, fût-elle de petit format. Ce retable fut acheté par le peintre écossais Gavin Hamilton en 1785, lorsqu'il résidait en Italie. Il le ramena à Londres et le vendit à Lord Landsowne. La National Gallery l'acquit en 1880.

Une observation attentive
Les boucles de cheveux sont à rapprocher des dessins de Léonard représentant les flots (en haut, à droite). Dans ses carnets, il a noté que les formes produites par l'eau qui coule ressemblent aux boucles, et qu'il y a similitude entre les spirales de l'eau et la croissance en spirale de certaines plantes.

■ Léonard usait des gestes de mains et des expressions du visage pour exprimer les émotions profondes de ses personnages. Il écrivit qu'un bon peintre doit peindre deux choses, l'homme et le travail de l'esprit humain. La première chose est aisée, la seconde difficile car elle se représente au moyen de l'expression physionomique, des gestes et des mouvements.

Albrecht Dürer : ▶
*Les Quatre Cavaliers
de l'Apocalypse,*
v. 1498, 39 x 28 cm,
gravure sur bois.

DÜRER (1471-1528)

*Né à Nuremberg, Dürer était le fils d'un orfèvre. Il commença par apprendre ce métier dans l'atelier
de son père. Les premières influences qu'il subit venaient la tradition de l'Europe du Nord médiévale :
goût du travail bien fait, imagerie forte, héritage gothique. Toutefois son talent précoce, sa curiosité,
son ambition et son désir de voyager le conduisirent à rompre avec cette tradition. Son séjour en Italie
joua un rôle décisif dans sa vie. Il y découvrit la nouvelle manière de voir, les nouveaux styles
et les nouvelles techniques artistiques de la Renaissance italienne, et il fut particulièrement impressionné
par Bellini (p. 20). Le statut élevé des artistes italiens le détermina à élever sa propre condition sociale.
Après son retour en Allemagne, il perfectionna ses études de géométrie et de mathématique,
en recherchant la compagnie des savants plutôt que celle des artisans. Il devint le principal vecteur
de l'influence italienne sur les idées du Nord, et son rôle rejaillit sur toute l'Europe.
Cependant sa production picturale resta limitée car il consacra l'essentiel de ses énergies
à la gravure, un art pour lequel il était suprêmement doué.*

Albrecht Dürer

❝ *Ici [en Italie],
je suis un gentilhomme ;
chez moi, je suis
un parasite.* ❞

ALBRECHT DÜRER

AUTOPORTRAIT
*Dürer se peint élégamment
vêtu, par un désir
conscient de se représenter
en gentilhomme, non en
artisan. Cette œuvre relève
d'une stratégie visant à
affirmer la condition
particulière de l'artiste,
et elle montre donc
qu'il a assimilé les idées
italiennes les plus récentes.*

■ Dürer se laissa gagner par
l'argument de Léonard de Vinci
(p. 24) selon lequel l'originalité et
l'inventivité comptaient plus que
la diligence et l'habileté. De telles
idées étaient inconnues en
Allemagne.

L'Apocalypse
*L'une des œuvres les plus
connues de Dürer est une série
de quatorze gravures sur bois
représentant des scènes de
l'Apocalypse et qui parut en
livre, avec les textes
correspondants. Le succès fut
immédiat, Dürer ayant touché
une corde sensible en des
temps d'inquiétude.*

■ Dernier livre du *Nouveau
Testament,* l'*Apocalypse* prédit la
seconde venue du Christ et la fin du
monde. Dans le coin inférieur
gauche de la gravure ci-dessus, la
gueule d'enfer engloutit un évêque :
il s'agit d'une allusion à la corruption
de l'Église catholique.

PAYSAGE DE MONTAGNE
Pour aller à Nuremberg, sa ville
natale, à Venise, Dürer traversa les
Alpes, et les montagnes lui firent
grande impression. En témoignent
des dessins et des aquarelles, dont
il se servira pour créer le paysage
qu'on voit par la fenêtre.

LE BONNET ET LES GANTS
Le bonnet est tout à fait à la mode et le vêtement, avec ses ganses
brodées, est des plus élégants. Dürer était un homme fier,
conscient de son talent.

■ Dürer vivait en des temps troublés : Martin Luther (1483-1546)
défiait le pouvoir de l'Église catholique et jetait les bases d'un schisme
religieux et politique. Il est vraisemblable que Dürer lui-même se soit
converti au protestantisme.

LE VISAGE
Bien qu'il vête luxueusement
(ses coûteux gants de peau
étaient une spécialité de
Nuremberg), Dürer peint
les traits de son visage avec un
soin détaché. Ses nombreux
autoportraits témoignent
de sa volonté d'introspection.

■ La gravure sur bois se pratique en taillant dans un bloc de bois des lignes saillantes qui apparaîtront en noir. Les gravures les plus simples, telles qu'on en réalisait pour illustrer les livres imprimés, laissaient de grands espaces que l'on coloriait ensuite à la main. Dürer introduisit une méthode nouvelle et plus raffinée : il remplissait ces espaces de lignes et de hachures pour créer un effet d'ombre et de lumière ; de plus, il multipliait les rythmes tournoyants ainsi que les traits serrés et complexes.

L'INSCRIPTION

L'inscription sous la fenêtre se lit : « 1498. J'ai peint ceci à mon image. J'avais vingt-six ans. » Le monogramme AD apparaît dans presque toutes les œuvres de Dürer.

1490-1500

1492 Découverte de l'Amérique par Christophe Colomb. Reconquête de Grenade par les rois catholiques. Les juifs et les musulmans sont expulsés d'Espagne.

1494 Dictature de Savonarole sur la République florentine. Traité de Tordesillas, partageant l'Amérique du Sud entre l'Espagne et le Portugal.

1497 Début de la circumnavigation de Vasco de Gama. Léonard de Vinci, La Cène.

ŒUVRES CLÉS

• *Adam et Ève*, 1504. British Museum, Londres.

• *La Vierge au serin*, 1506. Staaliche Museen, Berlin.

• *Saint Jérôme dans son cabinet*, 1514. British Museum, Londres.

• *La Mélancolie*, gravure, 1514.

• *Quatre Apôtres*, 1526. Alte Pinakothek, Munich.

■ Il était de tradition, chez les jeunes artisans allemands, de passer quelques années à voyager pour parfaire leur apprentissage, mais la plupart parcouraient l'Europe du Nord plutôt que l'Italie. Le projet initial de Dürer était d'aller à Colmar pour rendre visite au grand peintre et graveur Martin Schongauer mais celui-ci mourut en 1492 et Dürer ne le rencontra jamais.

L'amour du détail

Le traitement minutieux des ondulations montre que le peintre était fasciné par le détail. D'autre part, en leur donnant l'air d'être ciselées dans l'or, il révèle l'héritage de l'atelier paternel. Ses meilleures gravures ont, elles aussi, bénéficié de ses connaissances en orfèvrerie.

■ Peu avant 1500, Dürer s'occupa de gravure sur cuivre et sur bois. Or, bien qu'on admirât les estampes, celles-ci ne bénéficiaient que d'un statut inférieur à celui de la peinture. C'est pourquoi des graveurs aussi doués que Dürer, Rembrandt (p. 48) ou Whistler (p. 80) éprouvèrent le besoin de se faire connaître avant tout en tant que peintres.

LA RÉFORME

Au début du XVIe siècle, l'Église catholique était en proie à la corruption. Un prêtre allemand, Martin Luther (1483-1546) publia une série de thèses en forme de protestation. Bien que recherchant, à l'origine, des réformes au sein du système ecclésiastique existant, les idées de Luther menèrent à la division de la chrétienté occidentale et à la création des Églises protestantes. Dürer, profondément influencé par la pensée de Luther, soutint la quête réformatrice de vérité spirituelle. Toutefois les excès et les violences de la Réforme le choquèrent.

Albrecht Dürer ▶
Autoportrait, 1498. 40 x 52 cm, huile sur toile. Prado, Madrid.

Dürer s'intéressa toujours à [...] de l'art [...] étudia la [...] proportions. [...] publia en 1525 un Trai[té...] Livres sur la propor[tion...] furent publiés en 1528.

[...] a appartenu à [...] Angleterre, connaisseur averti [...] collectionneur [...] reçut en don de Lord [...] à qui le conseil muni[cipal de] Nuremberg en avait fait [...] at. Après l'exécution de [...] Ier, l'œuvre fut achetée [par] Philippe IV d'Espagne.

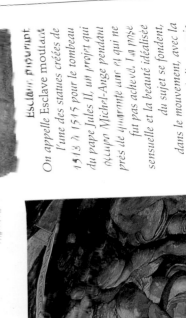

MICHEL-ANGE (1475-1564)

Sculpteur, peintre, architecte et poète de génie, Michel-Ange exerça une influence profonde et directe, non seulement au cours de sa longue vie (il mourut à quatre-vingt-neuf ans) mais sur toutes les générations d'artistes jusqu'à notre siècle. Né près de Florence, d'un magistrat subalterne de petite noblesse, il manifesta son talent dès le plus jeune âge. Apprenti du peintre Ghirlandaio, il apprit beaucoup en étudiant les fresques de Giotto et de Masaccio (p. 12) mais, fortement impressionné par Donatello (v. 1386-1466), il garda toujours une préférence pour les formes à trois dimensions. Il établit sa réputation grâce à sa sculpture, notamment grâce à sa Pietà de Rome (1498) et à son David de Florence (1504), créés tous deux avant l'âge de trente ans. C'était un chrétien fervent et sa religiosité constitue l'une des sources de son art. C'était aussi un admirateur passionné de l'Antiquité, et l'influence de la sculpture gréco-romaine touche tous les aspects de son oeuvre. En peinture, sa réalisation la plus prestigieuse se trouve à la chapelle Sixtine de Rome. Il travailla quatre ans, de 1508 à 1512, à en peindre le plafond, le Jugement dernier (il commença en 1534. Michel-Ange passa l'essentiel de sa vie professionnelle à Rome, les dix dernières années, étant qu'architecte en chef du chantier de Saint-Pierre ; ce fut là qu'il créa ses sculptures et ses poésies les plus belles et les plus émouvantes.

> On ne parvient pas à l'exception intérieure que l'on n'a pas atteint de l'art et de la vie.
>
> — Michelangelo Buonarroti
>
> MICHEL-ANGE

ESCLAVE MOURANT
On appelle Esclave mourant l'une des statues créées de 1513 à 1515 pour le tombeau du pape Jules II, un projet qui occupa Michel-Ange pendant près de quarante ans et qui ne fut pas achevé. La pose sensuelle et la beauté idéalisée du sujet se fondent, dans le mouvement, avec la puissance de l'anatomie.

Michel-Ange •
Esclave mourant • 1513 •
215 cm •
Louvre, Paris

■ Présenté traditionnellement comme un héros saturnien, Michel-Ange fut un solitaire...

■ Au moment où Michel-Ange peignait son œuvre, l'Église romaine était en proie à l'incertitude. Il était lui-même très empreint de cet état d'esprit : aussi que le plafond de la Sixtine rayonne de confiance et d'harmonie, on trouve ici que des souffrances, agitation et âpres interrogations.

ADDITIONS TARDIVES
Les lunettes montrent les instruments de la Passion. Elles ont été ajoutées (en effaçant un travail antérieur de Perugin) lorsque Michel-Ange s'aperçut que son projet devait s'étendre à toute la surface murale.

JUGEMENT DERNIER
L'idée de ce projet ... vint du pape Médicis, Clément VII (1478-1534). Sous ... Michel-Ange se ... progressivement au jeu. ... œuvre a été conçue à une ... monumentale. Elle compte ... quatre cents figures ...

■ Dürer s'intéressa toujours à la théorie de l'art et étudia la perspective et les proportions, problèmes clés de la Renaissance. Il publia en 1525 un *Traité*. Ses *Quatre livres* sur la proportion humaine furent publiés après sa mort, en 1528.

LE STYLE ITALIEN
Dürer a souvent usé du format à mi-corps, l'attitude relâchée, avec les bras posés, la tête tournée de trois-quarts et la fenêtre du fond montrent qu'il a adopté les principes du portrait vénitien. Cependant le refus d'idéaliser ses traits, l'observation méticuleuse du moindre détail
et le style sans rondeur démontrent qu'il n'a pas renié ses racines germaniques.

■ Ce tableau a appartenu à Charles Iᵉʳ d'Angleterre, connaisseur et collectionneur averti (p. 40). Il le reçut en don de Lord Arundel, à qui le conseil municipal de Nuremberg en avait fait présent. Après l'exécution de Charles Iᵉʳ, l'œuvre fut achetée par Philippe IV d'Espagne.

Albrecht Dürer ▶
Autoportrait, 1498,
40 x 52 cm, huile sur toile.
Prado, Madrid

LA RÉFORME

Au début du XVIᵉ siècle, l'Église catholique était en proie à la corruption. Un prêtre allemand, Martin Luther (1483-1546) publia une série de thèses en forme de protestation. Bien que recherchant, à l'origine, des réformes au sein du système ecclésiastique existant, les idées de Luther menèrent à la division de la chrétienté occidentale et à la création des Églises protestantes. Dürer, profondément influencé par la pensée de Luther, soutint la quête réformatrice de vérité spirituelle. Toutefois les excès et les violences de la Réforme le choquèrent.

L'amour du détail
Le traitement minutieux des ondulations montre que le peintre était fasciné par le détail. D'autre part, en leur donnant l'air d'être ciselées dans l'or, il révèle l'héritage de l'atelier paternel. Ses meilleures gravures ont, elles aussi, bénéficié de ses connaissances en orfèvrerie.

■ Il était de tradition, chez les jeunes artisans allemands, de passer quelques années à voyager pour parfaire leur apprentissage, mais la plupart parcouraient l'Europe du Nord plutôt que l'Italie. Le projet initial de Dürer était d'aller à Colmar pour rendre visite au grand peintre et graveur Martin Schongauer mais celui-ci mourut en 1492 et Dürer ne le rencontra jamais.

■ Peu avant 1500, Dürer s'occupa de gravure sur cuivre et sur bois. Or, bien qu'on admirât les estampes, celles-ci ne bénéficiaient que d'un statut inférieur à celui de la peinture. C'est pourquoi des graveurs aussi doués que Dürer, Rembrandt (p. 48) ou Whistler (p. 80) éprouvèrent le besoin de se faire connaître avant tout en tant que peintres.

■ La gravure sur bois se pratique en taillant dans un bloc de bois des lignes saillantes qui apparaîtront en noir. Les gravures les plus simples, telles qu'on en réalisait pour illustrer les livres imprimés, laissaient de grands espaces que l'on coloriait ensuite à la main. Dürer introduisit une méthode nouvelle et plus raffinée : il remplissait ces espaces de lignes et de hachures pour créer un effet d'ombre et de lumière ; de plus, il multipliait les rythmes tournoyants ainsi que les traits serrés et complexes.

L'INSCRIPTION
L'inscription sous la fenêtre se lit : « 1498. J'ai peint ceci à mon image. J'avais vingt-six ans. » Le monogramme AD apparaît dans presque toutes les œuvres de Dürer.

1490-1500

1492 Découverte de l'Amérique par Christophe Colomb. Reconquête de Grenade par les rois catholiques. Les juifs et les musulmans sont expulsés d'Espagne.

1494 Dictature de Savonarole sur la République florentine. Traité de Tordesillas, partageant l'Amérique du Sud entre l'Espagne et le Portugal.

1497 Début de la circumnavigation de Vasco de Gama. Leonard de Vinci, *La Cène*.

ŒUVRES CLÉS

• *Adam et Ève*, 1504. British Museum, Londres.

• *La Vierge au serin*, 1506. Staaliche Museen, Berlin.

• *Saint Jérôme dans son cabinet*, 1514. British Museum, Londres.

• *La Mélancolie*, gravure, 1514.

• *Quatre Apôtres*, 1526. Alte Pinakothek, Munich.

Michelangelo Buonarroti

MICHEL-ANGE (1475-1564)

Sculpteur, peintre, architecte et poète de génie, Michel-Ange exerça une influence profonde et directe, non seulement au cours de sa longue vie (il mourut à quatre-vingt-neuf ans) mais sur toutes les générations d'artistes jusqu'à notre siècle. Né près de Florence, d'un magistrat subalterne de petite noblesse, il manifesta son talent dès le plus jeune âge. Apprenti du peintre Ghirlandaio, il garda toujours une préférence pour les formes à trois dimensions. Il établit sa réputation grâce à sa sculpture, notamment grâce à sa Pietà de Rome (1498) et à son David de Florence (1501-1504), créés tous deux avant l'âge de trente ans. C'était un chrétien fervent et sa religiosité constitue l'une des sources de son art. C'était aussi un admirateur passionné de l'Antiquité, et l'influence de la sculpture gréco-romaine touche tous les aspects de son œuvre. En peinture, sa réalisation la plus prestigieuse se trouve à la chapelle Sixtine de Rome. Il travailla quatre ans, de 1508 à 1512, à en peindre le plafond ; le Jugement dernier fut commencé en 1534. Michel-Ange passa l'essentiel de sa vie professionnelle à Rome, les dix dernières années en tant qu'architecte en chef du chantier de Saint-Pierre ; ce fut là qu'il créa ses sculptures et ses poésies les plus belles et les plus émouvantes.

> « On ne parvient pas à la discipline intérieure tant que l'on n'a pas atteint le fond de l'art et de la vie. »
>
> MICHEL-ANGE.

LE JUGEMENT DERNIER

L'idée de ce projet extraordinaire vint du pape Médicis, Clément VII (1478-1534). Sans enthousiasme au début, Michel-Ange se prit progressivement au jeu.

■ L'œuvre a été conçue à une échelle monumentale. Elle compte plus de quatre cents figures. Délibérément, celles-ci présentent d'étranges différences de taille. L'espace est irréel et ambigu. L'atmosphère est sombre. Les élus eux-mêmes montrent une physionomie pensive et troublée.

LE CERCLE INTÉRIEUR

Autour du Christ se tiennent les saints, les prophètes et les patriarches qui paraissent perplexes ou terrifiés devant lui. À sa droite, la Vierge qui, traditionnellement, intercède en faveur des pécheurs semble se tenir à l'écart.

ADDITIONS TARDIVES

Les lunettes montrent les instruments de la Passion. Elles ont été ajoutées (en effaçant un travail antérieur du Pérugin) lorsque Michel-Ange s'aperçut que son projet devait s'étendre à toute la surface murale.

■ Au moment où Michel-Ange peignait cette œuvre, l'Église romaine était en proie à l'incertitude. Il était lui-même très empreint de cet état d'esprit : alors que le plafond de la Sixtine rayonne de confiance et d'harmonie, on ne trouve ici que dissonances, agitation et après interrogations.

Michel-Ange : ▶
Esclave mourant, 1513,
215 cm.
Louvre, Paris.

Esclave mourant

On appelle _Esclave mourant_ l'une des statues créées de 1513 à 1515 pour le tombeau du pape Jules II, un projet qui occupa Michel-Ange pendant près de quarante ans et qui ne fut pas achevé. La pose sensuelle et la beauté idéalisée du sujet se fondent, dans le mouvement, avec la puissance de l'anatomie.

■ Présenté traditionnellement comme un héros saturnien, Michel-Ange fut essentiellement un homme de chantier et un inventeur soucieux de répondre de façon originale aux contraintes particulières de chacune des commandes.

UN CHRIST COURROUCÉ

Le Christ ne siège pas en majesté pour juger ; il se porte en avant avec une énergie irrépressible, comme pour élever à lui les justes, de la main droite, et repousser les damnés, de la gauche. L'interprétation de Michel-Ange renouvelle une tradition sur le

LE NU MASCULIN
La diversité des poses montre une parfaite compréhension du corps masculin (que Michel-Ange disséqua au cours de ses études). Chacune des figures est conçue selon les trois dimensions, et l'on pourrait réaliser des sculptures d'après elles.

LES DAMNÉS
Michel-Ange utilise les symboles traditionnels avec une grande liberté. Par exemple, sainte Catherine se sert de sa roue pour repousser les damnés qui tentent de se hisser au ciel. Les diables, pour leur part, s'affairent à tirer les damnés vers le bas.

■ Michel-Ange mit plus de cinq ans à terminer la fresque, donc plus que pour peindre le plafond de la Sixtine. Son œuvre recouvre une fresque plus ancienne, du Pérugin. Les fenêtres durent être condamnées et cette commande eut pour effet d'altérer l'éclairage de la chapelle et l'interprétation des autres œuvres s'y trouvant.

ŒUVRES CLÉS

• *David*, 1501-1504. Galleria dell'Accademia, Florence.

• Plafond de la chapelle Sixtine, 1508-1512. Rome.

• *Vierge à l'Enfant*, 1520. Casa Buonarroti, Florence.

• *Pietà*, vers 1550. Cathédrale, Florence.

MINOS
Le personnage autour duquel s'enroule un serpent est Minos – référence explicite à l'Antiquité classique et à l'*Enfer* de Dante. Ce portrait serait celui de Biagio da Cesena, détracteur déclaré de l'œuvre de l'artiste.

Les registres
Deux anges tiennent les volumes où sont inscrits les noms des damnés et ceux des élus. Le registre des damnés est le plus grand des deux.

CHARON
Charon fait traverser le Styx aux damnés. Figure terrible, il se sert de sa rame pour frapper ses passagers. Il s'agit là d'une référence à l'*Enfer* de Dante et d'un rappel des idées médiévales concernant la mort et le péché (voir p. 12).

Un autoportrait caricatural ?
Saint Barthélemy tient suspendu au-dessus de l'abîme l'attribut de son supplice, une peau d'écorché dont la face déformée serait, prétend-on, un autoportrait de Michel-Ange.

LES COMMANDES PONTIFICALES

A partir de 1505, Michel-Ange fut employé en permanence par la papauté, bien que ses relations avec elles fussent souvent orageuses. L'immense tombeau du pape Jules II et les projets architecturaux et sculpturaux de San Lorenzo, à Florence, ne furent jamais achevés. Plus tard, Michel-Ange dirigea le projet de reconstruction de Saint-Pierre. Les fresques de la chapelle Sixtine sont la seule commande pontificale qu'il commença et termina.

... les parties sexuelles exposées), Michel-Ange répliqua : « Dites au pape que c'est une bien petite chose... alors qu'il devrait plutôt ajuster le monde, car les peintures le sont déjà ». Le concile de Trente décida d'amender les fresques et de faire peindre des drapés sur les nus.

LA RÉSURRECTION DES MORTS
Le côté gauche montre les morts éveillés par les trompettes des sept anges de l'Apocalypse.

Michel-Ange ▶
Le Jugement dernier, 1536-1541, 14,60 x 13,40 m, fresque. Chapelle Sixtine, Rome.

GIORGIONE (v. 1477-1510)

Les renseignements sur la vie de Giorgione sont aussi peu clairs que la signification de sa peinture. De son vivant déjà, il fut reconnu comme un génie qui modifia radicalement les idées sur la nature de l'art et sur la condition de l'artiste. Né à Castelfranco, en Vénétie, il étudia dans l'atelier de Bellini (p. 20). D'origine modeste, il était, dit-on, très intelligent, musicien et séduisant. Il rencontra en 1500 Léonard de Vinci (p. 24), qui l'influença par ses idées esthétiques et par son comportement d'artiste. Giorgione travailla surtout pour des mécènes aux goûts intellectuels complexes, qui demandaient de petits tableaux à contenu poétique ou philosophique. Il semble que Giorgione ait partagé ces goûts et qu'il ait été reçu comme un égal. Il s'intéressait aussi aux nouvelles techniques de la peinture à l'huile, à laquelle il donna plus de luminosité et de douceur. Sa mort prématurée priva l'art vénitien du plein épanouissement d'un maître de premier plan.

Giorgio da Castelfranco, dit Giorgione

UN SUJET ÉROTIQUE
En l'absence d'élément permettant de précise... une quelconque histoire, le sens du tableau se concentre autour de la sensualité du corp...

VÉNUS ENDORMIE

Universellement connu sous le titre de Vénus de Dresde, ce tableau d'une originalité exceptionnelle ne peut se rapporter à aucun précédent. Il manifeste l'intérêt de Giorgione pour un nouvel idéal de beauté, où l'atmosphère poétique l'emporte sur le contenu intellectuel.

La déesse endormie

Le nu allongé est devenu l'un des thèmes les plus populaires de la peinture européenne. Giorgione montre une femme nue dormant sous un rocher, les yeux clos, perdue dans ses rêves. Presque toutes les variations ultérieures sur ce sujet montrent une figure éveillée.

L'INFLUENCE DE VINCI
Le doux modelé et les formes arrondies du corps de Vénus montrent l'influence de Léonard de Vinci ; il en va de même du traitement des drapés. La *Vénus de Dresde* a été peinte dans la même décennie que la *Joconde* ; toutes deux ont été très tôt copiées et imitées.

■ Venise occupait une position géographique favorisée, qui l'avait fait devenir un centre mondial d'art et de commerce ; grâce à quoi Giorgione put prendre connaissance d'une vaste gamme de productions européennes et orientales. Plusieurs collections vénitiennes contenaient d'importants tableaux des Pays-Bas, et il dut voir de nombreuses gravures, notamment de Dürer (p. 26). Proposant des formes et des proportions nouvelles, la *Vénus* de Giorgione s'éloigne décidément du modèle gréco-romain.

ŒUVRES CLÉS

• *La Tempête,* 1505-1510.
Accademia, Venise.

• *Laure,* 1506.
Kunsthistorisches Museum, Vienne.

• *Les Trois Philosophes,* v. 1509.
Kunsthistorisches Museum, Vienne.

MAÎTRISE DE LA PEINTURE À L'HUILE
Le soin apporté au modelé, par ombres et lumière, du riche tissu sur lequel repose Vénus démontre la maîtrise de Giorgione dans la nouvelle technique de la peinture à l'huile.

■ Giorgione offre une vision nouvelle, sensuelle, de la beauté des for... L'idéal de la première Renaissance, tel qu'on le voit dans le *Printem...* (p. 22), repose sur des références intellectuelles précises, avec lesqu... rompt délibérément. À un art dominé par le dessin et la ligne succè... qui établit la suprématie de la couleur.

Les touches finales

Le tableau était réputé inachevé à la mort de Giorgione et l'on admet généralement que Titien (p. 34) fut chargé de terminer le paysage. L'étagement « par couches » de ce paysage et le bleu des collines lointaines sont caractéristiques du premier style de Titien. La mort prématurée de son rival contribua à l'ascension de ce dernier.

DRESDE

Au XVIIIᵉ siècle, Dresde devint l'un des plus grands centres artistiques d'Europe. Les électeurs de Saxe rassemblèrent une remarquable collection de peinture, qui comprtait de nombreux chefs-d'œuvre italiens, dont la *Vierge de Saint-Sixte* de Raphaël (p. 32) et la *Vénus* de Giorgione, l'une de leurs premières acquisitions. Dresde devint un lieu de pèlerinage pour les jeunes artistes et intellectuels et, vers la fin du siècle, il s'y créa une florissante académie, qui attira notamment Friedrich (p. 64). Dresde fut rasée par les bombardements de la Seconde Guerre mondiale et des tableaux furent perdus. Depuis la réunification allemande de 1990, la célèbre galerie de peinture a été restaurée.

■ Une légende veut que Giorgione ait engagé Titien pour travailler avec lui à une commande prestigieuse : il s'agissait de décorer la façade du siège d'une compagnie marchande allemande à Venise. Giorgione, maître reconnu, aurait été félicité pour une Judith, considérée comme sa meilleure œuvre depuis longtemps mais peinte en réalité par Titien. Giorgione n'aurait plus adressé la parole à Titien.

● LE PANORAMA DÉSERT
Le paysage désert, au second plan, renforce l'aspect mystérieux du tableau. Giorgione recourt au même procédé dans la *Tempête*.

■ En octobre 1510, Isabelle d'Este, collectionneuse parmi les plus passionnés de la Renaissance, écrivit à son agent vénitien d'acquérir une œuvre de Giorgione : indication sûre de la réputation du peintre. L'agent répondit qu'il ne pouvait accéder à la demande parce que Giorgione venait de mourir de la peste.

> *" Il emplit tous les cœurs d'admiration, tant la Nature paraissait vivante dans son art. "*
>
> BOSCHINI

● LE PAYSAGE
L'intérêt pour le paysage devint, dès cette époque, la caractéristique de la peinture vénitienne. Elle s'attacha à l'unité harmonieuse entre les personnages et le paysage (dans la peinture florentine, celui-ci était toujours d'intérêt secondaire par rapport aux personnages).

● LE CUPIDON PERDU
On sait, par l'analyse aux rayons X et par des comptes rendus de restauration du XIXᵉ siècle, que Giorgione avait inclus ou envisagé d'inclure une figure de Cupidon dans la partie droite du tableau.

◄ **Giorgione :** *Vénus endormie*, 1508-1510, 108,5 x 175 cm, huile sur toile. Gemäldegalerie, Dresde.

1500-1510

1500	Les Vénitiens impriment de la musique au moyen de caractères mobiles. Le Portugal revendique le Brésil.
1503	Élection du pape Jules II.
1506	Exhumation à Rome de la statue antique de Laocoon.
v.1506	Mantegna, *Le Christ mort*.
1507	L'Amérique reçoit son nom, d'après celui d'Amerigo Vespucci. *Le Prince* de Machiavel.
1509	Destruction de Constantinople par un tremblement de terre. La France et la Papauté déclarent la guerre à Venise. Érasme, *Éloge de la Folie*.

● LA DOUCEUR DES COURBES
La douce ondulation des lignes souligne l'impression de sommeil profond du personnage.

■ L'État et l'Église offraient, à Venise, des sources de commandes lucratives. Giorgione semble, de manière générale, les avoir ignorées, en raison sans doute du goût conservateur. Il leur préféra un petit groupe de clients privés, plus attachés à de petits tableaux reflétant leurs centres d'intérêt : la musique et la poésie.

Raphaël ▶
*Études pour la Vierge
à l'Enfant*, v. 1510,
25,5 x 18,5 cm, encre.
British Museum.
Londres.

RAPHAËL (1483-1520)

Si Raphaël a vécu une vie enviable, il est mort tragiquement d'une fièvre, le jour de son trente-septième anniversaire. Né dans un milieu cultivé, à Urbino, où son père travaillait pour le duc (p. 16), il fit son apprentissage chez le Pérugin (v. 1445-1523), l'un des grands peintres italiens du moment. En 1504, il résidait à Florence où il put étudier les œuvres de Giotto, de Masaccio (p. 12) et de Michel-Ange (p. 28). Tous les écrits concernant Raphaël insistent sur sa belle apparence, ses manières courtoises et sa bonne conduite. Il devint le favori du pape Jules II, qui le manda à Rome en 1508 pour décorer ses appartements. Cette commande inspira à Raphaël des œuvres de génie et, dès lors, les commandes pontificales dominèrent son activité. Sa grâce naturelle lui gagnait l'estime des prélats et l'amour des femmes (il était connu pour ses nombreuses aventures). Son style est à l'origine d'un canon de perfection que l'art européen suivra jusqu'à la fin du XIXᵉ siècle, et il a fourni un exemple à tous les peintres qui aspiraient au classicisme.

Raffaello Sanzio

❝ *Le divin génie
de Raphaël a atteint
des sommets que nul
ne surpassera
ni n'égalera.* ❞

— GOETHE

LA VIERGE DE SAINT-SIXTE

Ce retable est la dernière grande œuvre de Raphaël sur un sujet qui lui était particulièrement cher : la Vierge à l'Enfant. Durant son séjour à Florence, il travailla le thème avec une invention constante et en donna plusieurs variantes.

■ **Comme toute l'œuvre de Raphaël, ce tableau est d'une grâce naturelle, malgré la composition soigneuse et l'attention portée aux détails.**

L'ATTITUDE
Raphaël était renommé pour l'habileté avec laquelle il saisissait l'attitude exprimant le mieux l'intention et le mouvement du personnage, et la mettait en harmonie avec l'émotion du visage. Ici, l'Enfant n'est pas le bambin actif et précoce qu'a peint Léonard (p. 23). Son expression est interrogative et prudente.

SAINT SIXTE
Saint Sixte (le pape Sixte II, martyrisé en 258) intercède en faveur du fidèle qui s'agenouillera devant l'autel pour implorer la Vierge.

VISION CÉLESTE
Les rideaux donnent l'impression d'avoir été tirés à l'instant pour révéler – ou plutôt dévoiler – la vision céleste de la Vierge et de l'Enfant.

■ L'œuvre a été commandée pour l'autel de la chapelle du couvent Saint-Sixte à Plaisance. Lorsqu'il était encore cardinal, Jules II avait contribué à la construction de cette chapelle abritant les reliques supposées de saint Sixte et de sainte Barbe.

Études

*Ces esquisses montrent que Raphaël s'est librement essayé aux différentes poses possibles d'une mère avec son enfant. Ce feuillet ne concerne pas directement la Vierge de Saint-Sixte mais celle-ci a dû faire l'objet d'études similaires, hélas perdues.
Les têtes, les mains et les drapés intéressant particulièrement Raphaël.*

■ **À partir de ses études, Raphaël exécutait un dessin du sujet, peut-être en essayant plusieurs versions avant d'en choisir une définitive. Puis il réalisait une esquisse à l'échelle, qui servirait à reporter les contours sur la toile.**

LA VIERGE À L'ENFANT
La Madone et l'Enfant ont la douceur d'expression et la fluidité gracieuse qui ont fait la renommée de Raphaël. La part humaine de la relation maternelle se mêle désormais à la représentation du symbole.

LE VOILE FLOTTANT
La Vierge enveloppe l'Enfant d'un cercle protecteur que forment son voile flottant et leurs bras à tous deux.

1515 François Iᵉʳ roi de France.
1516 L'Arioste, *Roland furieux*.
1519 Charles-Quint empereur germanique.
1520 Excommunication de Luther.
1521 Première manufacture de soie en France.
1524 Guerre des Paysans en Allemagne.
1525 La bataille de Pavie met fin à la présence française en Italie.
1527 Sac de Rome par Charles Quint.
1528 Épidémie de typhus en Italie.

SAINTE BARBE
C'est par le regard de sainte Barbe que se crée un nouveau rapport avec le spectateur. Elle est la patronne des victoires, ce qui s'accordait avec la victoire politique et militaire que Jules II venait de remporter (voir ci-dessous).

■ Léonard de Vinci inspira certainement le jeune Raphaël, venu travailler à Florence, pour ce qui est de l'intérêt et de l'utilité du dessin. Raphaël se servit de dessins pour donner plus de liberté à ses idées, à ses compositions et aux attitudes de ses figures.

▼ **Raphaël** : *La Vierge de Saint-Sixte, 1513,* 269,5 x 201 cm, huile sur toile. Gemäldegalerie, Dresde.

■ En juin 1512, le pape Jules II remporta une victoire décisive sur des États concurrents, et il y eut à Rome de grandes célébrations. En même temps, Plaisance fit savoir qu'elle faisait allégeance à la papauté. En remerciement, Jules II commanda cette œuvre pour en faire don au couvent de la ville.

LES CHÉRUBINS
Deux angelots semblent s'être échappés de la troupe céleste du fond. Ces enfants ailés ressemblent plus à des putti mythologiques qu'à des chérubins théologiques. Leur présence et leur expression apportent à l'œuvre une touche d'humanité et de légereté familière.

DES FORMES SIMPLIFIÉES
Le poids et la texture de la chape sont traités brillamment. La forme en est simplifiée pour se résumer à quelques plis élégants.

■ Toutes les œuvres de Raphaël témoignent de sa superbe technique, de son habileté à maîtriser les lignes du dessin, avec une totale assurance. On considérait alors l'art du dessin comme supérieur au traitement des couleurs. La raison en était que la discipline de la ligne est essentiellement intellectuelle alors que la couleur est surtout décorative.

Des anges évanescents
Raphaël a peint, sur un fond voilé et lumineux, des anges à peine visibles, évanescents. Ce procédé original renforce la présence du mystère dans le tableau.

LE RACCOURCI DE LA MAIN
La main et le bras droits donnent un exemple de raccourci, saisissant et plein d'habileté. Le geste crée un lien entre l'espace du spectateur et celui du personnage.

LES HABITS PONTIFICAUX
Saint Sixte porte une chape décorée de glands, emblèmes de la famille della Rovere, celle de Jules II.

■ Au XVIIIᵉ siècle, ce retable fut vendu à l'électeur de Saxe, qui constituait à Dresde une collection de tableaux devenue célèbre. On ne peut plus voir aucun retable de Raphaël en son lieu d'origine. La plupart ont été sérieusement endommagés par des nettoyages et des restaurations sans compétence. Heureusement, celui-ci est remarquablement conservé.

LA TIARE
La tiare pontificale s'impose en trompe-l'œil sur une étagère, entre le spectateur et la vision céleste. L'intention comporte un aspect politique.

■ La méthode de Raphaël, consistant à partir d'esquisses pour aboutir à l'œuvre définitive, est devenue la base des pratiques d'atelier et de l'enseignement académique jusqu'à la fin du XIXᵉ siècle. Elle permettait aux aides du peintre de travailler à la finition du projet qu'il avait mis au point. Michel-Ange travaillait tout différemment, et seul. Il s'est montré critique vis-à-vis de Raphaël, et les deux hommes ne s'appréciaient pas.

RAPHAËL À ROME

À partir de la moitié du XVᵉ siècle, plusieurs papes partagèrent l'ambition d'embellir Rome pour la rendre digne de son rôle de centre de la chrétienté et de capitale historique de l'Empire. Ceux qui réalisèrent au mieux cette ambition furent Jules II et son successeur Léon X. Tous deux firent appel à des artistes florentins pour créer un style capable de synthétiser l'art antique et la foi chrétienne. Raphaël fut appelé à Rome à l'âge de vingt-cinq ans, tant sa réputation était grande. Il exécuta pour Jules II les fresques des Stanze, appartements privés du Vatican : elles sont l'un des chefs-d'œuvre de la haute Renaissance. Pour Léon X, il entreprit un catalogue archéologique des antiquités romaines.

BRUEGEL DE VELOURS (1568-1625)

Jan Bruegel a suivi les traces de son père et de son frère aîné, qui furent eux aussi de grands peintres. Son père surtout, Pieter Bruegel l'Ancien (?-1569), doit sa célébrité à sa maîtrise du paysage et à ses sujets d'inspiration rustique. Il est mort peu après la naissance de son second fils, aussi Jan reçut-il des leçons d'aquarelle de sa grand-mère maternelle. Celui-ci vécut la plupart du temps à Anvers mais il voyagea beaucoup ; il atteignit la renommée en devenant peintre de cour des archiducs Albert et Isabelle, gouverneurs des Pays-Bas pour le compte de l'Espagne. Il fut l'ami intime de Rubens (p. 40), avec qui il voyagea et travailla. Il se maria deux fois ; sa première femme, Isabella de Jode, fille d'un graveur, mourut en couches en 1603, après quatre ans de mariage. En 1605, il épousa Catharina van Marienberghe, dont il eut huit enfants. Jan mit au point un style très décoratif qui lui valut le surnom de Bruegel de Velours ; son talent s'accommodait particulièrement des paysages boisés et des natures mortes florales, qu'il coloriait brillamment. Il mourut avec deux de ses enfants dans l'épidémie de choléra de 1625.

Jan Bruegel

ALLÉGORIE DE LA VUE
Ce tableau appartient à une série consacrée aux cinq sens : la vue, l'ouïe, l'odorat, le toucher et le goût. Dans chacun, Vénus est entourée d'objets symboliques du sens représenté. Cette œuvre rassemble aussi des éléments allusifs à sa ville et à son temps.

LE TEMPS DES DÉCOUVERTES
La sphère armillaire, qui montre le mouvement des planètes, est l'un des nombreux instruments scientifiques représentés sur le tableau. L'astrolabe, aux pieds de Vénus, permettait les longs voyages par mer. Ces instruments jouaient un grand rôle dans un monde en mutation rapide.

UN CABINET DÉCORÉ
Anvers, où Jan Bruegel passa presque toute sa vie, était un centre commercial et culturel important, connu pour sa production d'armoires à cabinet finement décorées, que l'on prisait dans toute l'Europe. Derrière, la tapisserie témoigne de la renommée et du talent des tapissiers flamands.

LES ARCHIDUCS
L'archiduc Albert et sa femme, l'infante Isabelle, atténuèrent les horreurs de l'Inquisition et encouragèrent les arts. Ils accordèrent des privilèges à Bruegel de Velours et lui donnèrent accès à leur jardin botanique et zoologique de Bruxelles, pour y étudier les plantes et les animaux rares.

■ Après son apprentissage, Jan Bruegel fit le « tour » traditionnel que la plupart des artistes considéraient comme essentiel à leur formation. Il visita Rome et Prague où l'empereur Rodolphe II avait créé le cabinet de curiosités le plus intéressant du monde.

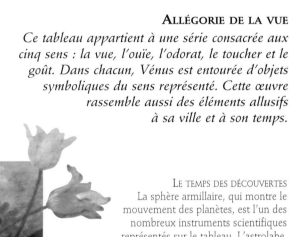

Les fleurs
Le vase de fleurs montre l'habileté particulière de Jan Bruegel comme peintre de fleurs. À l'aide d'une loupe, il en reproduisait les moindres détails, parfois avec des insectes. Il travaillait d'après nature, sans esquisses préliminaires.

LE CABINET DE CURIOSITÉS

Les cabinets de curiosités ont été l'une des caractéristiques de la passion de collectionner au XVIIᵉ siècle. Sous l'influence des voyages de découverte, les collectionneurs affectionnaient les objets plus étranges qu'esthétiques. Les plus modestes d'entre eux rassemblaient leurs curiosités dans une armoire à cabinet décorée. Les plus riches pouvaient remplir des pièces entières d'ossements, de coquillages, de plantes, d'antiquités, de joyaux et d'autres raretés. L'*Allégorie de la vue* représente le nec plus ultra en matière de cabinet de curiosités.

▲ **Jan Bruegel :**
Allégorie de la vue, 1618,
330 x 425 cm, huile sur toile.
Prado, Madrid.

L'OPTIQUE
Près de Vénus, le peintre a représenté des instruments scientifiques qui prolongent le sens de la vue. Au sol, devant elle, il y a un télescope, instrument récemment inventé en Hollande, et derrière elle, près du cabinet, une loupe.

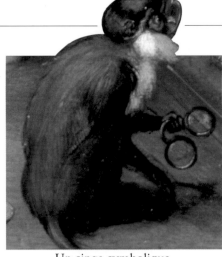

ŒUVRES CLÉS

- *Bouquet avec iris,* apr. 1599. Kunsthistorisches Museum, Vienne.
- *Fête villageoise,* 1600. Collections royales, Windsor.
- *Latone et les paysans,* 1601. Frankfurt Städel, Francfort sur le Main.
- *Village au bord de l'eau,* v. 1560. National Gallery, Londres.

L'AIGLE BICÉPHALE
L'aigle bicéphale des Habsbourg symbolise la domination de cette dynastie sur les Pays-Bas et le rôle qu'elle a joué dans l'acquisition des richesses déployées ici.

Un singe symbolique
Le singe examinant un tableau avec des lunettes est une allégorie amusante de la peinture, qui est en grande partie un art d'imitation. Le tableau pourrait être une des marines de Jan Bruegel.

" Le grand artiste ne s'accroupit pas comme un singe pour copier. "

THOMAS EAKINS

■ Ce tableau fait partie, avec deux autres, d'une commande des magistrats d'Anvers en vue d'un don à Albert et Isabelle lors de de leur visite officielle à Anvers en 1618. Visant à montrer l'énergie et la diversité d'Anvers, ces trois œuvres ont fait l'objet d'une collaboration entre plusieurs grands peintres. Jan Bruegel en était le coordonnateur.

COLLABORATION
Cette Vierge à l'Enfant est un tableau bien connu dont Rubens peignit le sujet central et Bruegel de Velours la guirlande de fleurs. Les autres tableaux sont également identifiables.

1600-1610

1601 Kepler nommé astronome de l'empereur Rodolphe II.

1602 Fondation de la Compagnie hollandaise des Indes orientales.

1604 Lope de Vega, *Comédies.*

1604 Cervantès, *Don Quichotte,* première partie.

1607 Honoré d'Urfé, *L'Astrée.*

1608 Invention du télescope.

1610 Découverte de la baie d'Hudson. Assassinat d'Henri IV.

LA GUÉRISON DE L'AVEUGLE
Cupidon montre à Vénus un tableau représentant la parabole de Jésus guérissant un aveugle de naissance. Elle semble l'apprécier plus que les bijoux étalés devant elle sur la table.

LES GRANDES DÉCOUVERTES
Une mappemonde est posée au milieu de la pièce. Les voyages de découverte vers les Amériques et l'Orient ont introduit en Europe quantité de plantes, d'animaux et d'autres trésors, comme par exemple le perroquet et les coquillages exotiques.

■ Jan Bruegel eut beaucoup de succès dans les Flandres. Il devint doyen de la corporation des peintres – la guilde de Saint-Luc – et posséda cinq maisons. L'infante Isabelle et le cardinal Borromée, premier mécène de Jan, furent les parrains de sa fille cadette.

LE CARAVAGE (1573-1610)

L'un des rares grands artistes à avoir commis un crime, le Caravage était violent, grossier et souvent jeté en prison. Pourtant, il a créé l'un des styles les plus neufs et féconds du XVIIe siècle. Michelangelo Merisi doit son nom d'art à son village natal, Caravaggio, près de Bergame, en Lombardie. À dix-sept ans, déjà seul au monde mais pourvu d'un petit héritage, il alla se faire une réputation à Rome. Son argent bientôt dépensé, il vécut dans la pauvreté jusqu'à son entrée dans la maison du cardinal del Monte. Grâce à son talent prodigieux et à sa personnalité ardente, il développa un art complètement nouveau, fait de réalisme dramatique et d'éclairages théâtraux, qui plut à certains mais choqua profondément d'autres. Au sommet de son succès, en 1606, il tua un ami au cours d'une bagarre à propos d'un pari stupide. Il s'enfuit à Naples et mourut en exil à l'âge de trente-sept ans.

Michelangelo Merisi
da Caravaggio

BACCHUS
Ce tableau constitue une façon originale, ouvertement homosexuelle, de représenter Bacchus, le dieu du vin. Il a probablement été peint lorsque le Caravage travaillait pour l'influent cardinal del Monte. Cette œuvre de jeunesse ne laisse guère prévoir la tension dramatique qu'atteindra le peintre par la suite.

DÉCADENCE
Le jeune dieu se livre manifestement aux plaisirs des sens et arbore délibérément une expression dévergondée. Il n'y a pas de preuve que le Caravage ait partagé les goûts homosexuels du cardinal del Monte mais il a exploité les aspects païens et décadents du sujet.

L'ART DES CONTRASTES
En général, le Caravage joue avec les contrastes. Les détails réalistes contrastent avec la pose théâtrale. Le bras droit musclé du modèle contraste avec son visage féminin, ses sourcils maquillés et sa perruque noire.

Michelangelo da Caravaggio ▶
Bacchus, v. 1595,
94 x 85 cm, huile sur toile.
Offices, Florence.

L'invite
Bacchus tend un verre de vin comme s'il nous invitait à nous joindre à lui pour partager ses plaisirs. Il a les ongles sales, en avertissement symbolique : la recherche du plaisir se paie.

■ **Le Caravage fut un pionnier de la nature morte, qui n'a commencé d'apparaître comme un genre séparé qu'à la Renaissance. On retrouve le motif de la corbeille de fruits dans plusieurs de ses premières œuvres.**

UNE NATURE MORTE SYMBOLIQUE
Les détails de la nature morte en font une allégorie du caractère transitoire de la vie. La pomme est véreuse, la grenade trop mûre et d'autres fruits sont talés et pourris.

L'INFLUENCE DU CARAVAGE

Au début du XVIIᵉ siècle, il était essentiel pour les jeunes artistes ambitieux de visiter Rome, où ils pouvaient étudier les œuvres de maîtres tels que Michel-Ange (p. 28) et Raphaël (p. 32). Toutefois, ce furent le nouvel éclairage dramatique et le réalisme obsessionnel du Caravage qui frappèrent l'imagination de nombreux peintres. Rentrés chez eux, ils répandirent son style. Artemisia Gentileschi (p. 44) fut de ses disciples en Italie ; en Espagne, son influence se remarque chez Velázquez (p. 46), en Hollande, chez Rembrandt (p. 48) et, en France, jusqu'à La Tour.

« Son style est l'abîme où se détruit complètement ce qu'il y a de plus noble et de plus talentueux dans l'art de peindre. »

LE CARDINAL ALBANI

ŒUVRES CLÉS

• *Judith et Holopherne*, v. 1598. Galleria nazionale di arte antica, Rome.

• *La Vocation de saint Matthieu*, 1599-1600. Saint-Louis des Français, Rome.

• *Le Repas à Emmaüs*, v. 1601. National Gallery, Londres.

• *La Mise au tombeau*, 1602-1604. Musées du Vatican, Rome.

La lumière divine
La manière dont le Caravage nous communique l'émotion du saint aveuglé par la lumière divine est intense et poignante.

● PLACIDITÉ
Le cheval docile et son compagnon de route, tous deux indifférents à ce qui arrive, offrent un contraste dramatique avec le corps tendu de Paul, en proie au tourment spirituel. En confinant l'événement principal au quart inférieur droit du tableau, le Caravage en accroît l'importance, jouant sur une composition paradoxale.

LA CONVERSION DE SAINT PAUL

Le tableau dépeint le moment de la conversion de Saul, soldat romain qui persécutait les premiers chrétiens. Sur le chemin de Damas, une grande lumière perça le ciel et il entendit la voix du Christ lui dire : « Saul, Saul, pourquoi me persécutes-tu ? » Ayant changé son nom en Paul, il devint l'un des fondateurs de l'Église primitive.

● UN RÉALISME QUOTIDIEN
La figure du compagnon de route est un exemple frappant du nouveau réalisme caravagesque. Le peintre a choisi son modèle dans le petit peuple de Rome. Bien que son art fût à bien des égards plus près de la vérité que celui de ses contemporains, beaucoup de gens, tant ecclésiatiques que laïcs, jugèrent offensant pour l'Église d'exhiber une réalité aussi crue. Ils préféraient un art idéaliste et irréel comme celui de Raphaël.

■ Conformément à sa personnalité bouillante, le Caravage était un travailleur rapide. Il dépassa rarement un délai de livraison. Il peignait directement sur toile, avec peu d'esquisses préliminaires, et il modifiait en cours de route. Il n'existe pas de dessin que l'on puisse authentifier comme de sa main.

● DES MAINS EXPRESSIVES
Le Caravage portait une grande attention aux mains, qu'il a toujours remarquablement observées. Il a compris la force expressive des gestes et des positions des mains et des bras.

■ À son emplacement réel, dans la chapelle Cerasi de Santa Maria del Popolo, le tableau est accroché à main droite d'un retable d'Annibal Carrache. On ne l'y voit donc pas de face (comme ici) mais en oblique, de sorte que le spectateur a l'impression de se tenir près de la tête de saint Paul et de regarder la scène suivant l'axe de son corps.

1590-1600

▲ Michelangelo da Caravaggio : *La Conversion de saint Paul*, 1601 23 x 175 cm, huile sur toile. Santa Maria del Popolo, Rome.

■ Comme son art, le Caravage était un homme de contrastes. Capable de meurtre, il a néanmoins étudié et compris l'art de Vinci (p. 24) et de Michel-Ange. Ses œuvres religieuses sont souvent empreintes de profonde compassion et d'émotion spirituelle.

● RACCOURCI
L'un des traits les plus forts du réalisme caravagesque est un raccourci créant l'illusion qu'une partie de l'image se projette hors de la toile, dans l'espace occupé par le spectateur, actualisant ainsi le miracle.

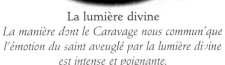

RUBENS (1577-1640)

Petrus Paulus Rubens

" *Je considère le monde entier comme mon pays, et je crois que je serais le bienvenu partout.* "

RUBENS

Beau, riche et talentueux, Rubens fut le peintre le plus fécond du début du XVIIᵉ siècle et sa renommée s'étendit à toute l'Europe. Fils d'un échevin d'Anvers, il reçut une bonne éducation classique et devint page dans une maison aristocratique. Cependant, voulant être peintre, il entra en apprentissage auprès de médiocres artistes locaux. En 1600, il se rendit en Italie où ses yeux s'ouvrirent devant les œuvres de Michel-Ange (p. 28) et de Titien (p. 34) comme devant les trésors de l'Antiquité. Après son retour à Anvers, en 1608, il obtint un succès immédiat et mit sur pied un atelier immense pour faire face à l'afflux de commandes. Ses connaissances linguistiques, ses bonnes manières et son sens des affaires impressionnèrent ses mécènes royaux, et il voyagea beaucoup pour eux, chargé d'importantes missions diplomatiques. Ses dernières années furent celles d'un gentilhomme campagnard au château de Steen, entre Bruxelles et Malines, où il développa une nouvelle manière de concevoir la peinture de paysage.

■ La réussite personnelle et la vie bien remplie de Rubens trouvent leur écho dans les biens matériels dispensés à profusion dans *La Paix et la Guerre*. Il fit un mariage heureux, ne manqua jamais de confort et devint très riche. En 1610, il acheta un terrain à Anvers et y construisit un palais italianisant, d'où il dirigeait son atelier.

LA PAIX ET LA GUERRE

Ce tableau célèbre les bienfaits de la paix et Rubens y use, pour faire entendre ce message, de toute sa maîtrise picturale comme de toute son érudition : couleur, mouvement, dramatisation et symbolisme. Il termina l'œuvre lorsqu'il se trouvait en Angleterre, en mission diplomatique.

■ L'infante Isabelle d'Espagne, archiduchesse d'Autriche et gouvernante des Pays-Bas, envoya Rubens en Angleterre en 1629-1630 pour y négocier un traité de paix. Le tableau est toutefois plus qu'un geste de propagande : Rubens tenait profondément à la paix et à la tolérance en Europe. Il présenta l'œuvre à Charles Iᵉʳ d'Angleterre, par qui il fut anobli.

LES BACCHANTES
Bien qu'on ne voie pas Bacchus, dieu du vin et de la fertilité, deux bacchantes sont là, l'une portant un bassin plein de coupes d'or et de perles, l'autre dansant au son du tambour de basque.

■ Peintre le plus demandé en Europe, Rubens excellait dans les sujets religieux ou mythologiques qu'il traitait en de vastes compositions prisées des rois catholiques comme de l'Église.

LA COULEUR
Les couleurs chaudes sont orchestrées avec fluidité. Les complémentaires sont associées pour accroître l'intensité de l'ensemble.

■ Rubens a été particulièrement influencé par le colorisme riche et par le coup de pinceau vivant des peintres vénitiens. Il vit leurs œuvres à Venise et dans la collection royale de Madrid où se trouvaient de magnifiques Titien (p. 34). Il visita l'Espagne en 1603, puis en 1628-1629 (p. 46).

PAIX ET ABONDANCE
Devant la Paix, un satyre tient une corne d'abondance en l'offrant aux trois enfants de droite. Un cupidon ailé les invite à en manger les fruits. Un léopard se roule à terre comme un chat domestique, en jouant avec les vrilles d'une vigne.

LA PAIX
La figure nue de la Paix fait jaillir du lait de son sein pour nourrir Plutus, dieu de la richesse. Le goût, personnel et artistique, de Rubens penchait pour les femmes opulentes dont la peau et les cheveux éclataient de santé.

Petrus Paulus Rubens ▶
La Paix et la Guerre,
v. 1629,
203,5 x 298 cm,
huile sur toile.
National Gallery,
Londres.

1620-1630

LES MÉTHODES DE TRAVAIL

Rubens travaillait très rapidement et il employait dans son atelier de nombreux aides, dont certains (surtout Van Dyck) devinrent à leur tour de grands noms. Rubens développait son idée première en des esquisses cursives, que ses aides utilisaient pour réaliser le tableau à grande échelle. Des modèles posaient pour les personnages de la composition : il y avait donc des dessins détaillés d'après nature. Rubens lui-même apportait la touche finale et les dernières modifications. Il était doué d'une faculté de travail prodigieuse et il exigeait beaucoup de son atelier. Les commanditaires étaient parfaitement satisfaits de posséder une œuvre produite de cette manière. L'idée que le peintre doive appliquer lui-même le moindre coup de pinceau est plutôt récente, et relève d'une conception romantique de l'art.

Hélène Fourment
En 1630, Rubens épousa Hélène Fourment, âgée de seize ans et nièce de sa première femme, Isabella Brandt. Ce mariage fut exceptionnellement heureux et fécond : il y eut cinq enfants, le dernier conçu un mois avant la mort du peintre. Ce portrait montre Hélène avec son second enfant, Frans, né en juillet 1633.

Petrus Paulus Rubens : ▶
Hélène Fourment et son fils Frans, v. 1634, 330 x 425 cm, huile sur toile. Louvre, Paris.

■ En 1609, à trente-deux ans, Rubens épousa la fille d'un avocat anversois, Isabella Brandt, âgée de dix-sept ans. L'union fut très heureuse mais Isabella mourut en 1626, probablement de la peste, en laissant deux fils, Albert et Nicolas.

MINERVE
Déesse de la sagesse, Minerve use de son bouclier pour repousser Mars, dieu de la guerre. Derrière lui, une Furie.

HYMEN
Le garçon le plus âgé est Hymen, dieu du mariage, qui pose une couronne de fleurs sur la tête de la plus grande des jeunes filles.

UNE COMPOSITION EN DEUX PARTIES
Le schéma sous-jacent est une simple diagonale allant du coin inférieur droit au supérieur gauche. Le long de la diagonale et au-dessous, il y a les bienfaits de la paix, brillamment éclairés et aux couleurs riches. Au-dessus, ce sont les fléaux de la guerre, qui font contraste par leurs teintes sombres. Rubens aimait le mouvement et la dramatisation, qu'il créait souvent en usant d'une diagonale.

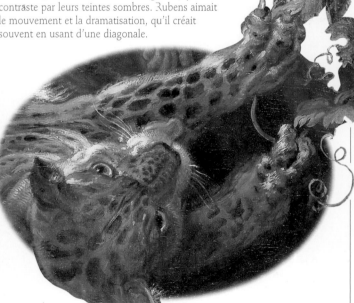

Un léopard bien vivant
Le léopard, admirablement peint, est d'un naturel et d'une vitalité extraordinaires, tant dans les yeux que dans la texture de la fourrure. Sa présence introduit une note d'exotisme, fort prisée à l'époque. Rubens a exécuté des études d'animaux sauvages au jardin zoologique de l'archiduc, à Bruxelles.

HEUREUX ENFANTS
À juste titre, ce sont les enfants qui bénéficient les premiers de la paix. Les modèles de trois de ces enfants étaient le fils et les filles de l'hôte de Rubens à Londres, Balthasar Gerbier.

ŒUVRES CLÉS

• *L'Élévation en croix,* 1610. Cathédrale, Anvers.

• *Cycle de Marie de Médicis,* 1622. Louvre, Paris.

• *Paysage à l'arc-en-ciel,* v. 1635. Collection Wallace, Londres.

• *Le Jardin d'amour,* 1638. Prado, Madrid.

Nicolas Poussin

POUSSIN (1594-1665)

Poussin était une personnalité tout en contraste : à la fois sensuel et austèrement intellectuel, il mettait au-dessus de tout la raison, l'ordre et l'objectivité. Son art réconcilie et synthétise ces traits : un art qui a fourni le modèle d'une longue tradition académique, perpétuée jusqu'à la fin du XIXe siècle. Français de naissance, Poussin a passé la plus grande partie de sa vie à Rome, où il a établi sa réputation. Il a étudié l'art antique avec un zèle passionné et le sujet de la plupart de ses tableaux provient de la littérature ancienne ou de la Bible. Au début, il acceptait des commandes publiques d'œuvres de grand format mais, après une grave maladie survenue en 1629-1630, il se tourna vers les petits tableaux destinés à des connaisseurs. L'essentiel de son œuvre poursuit un débat poétique sur des questions de morale et une méditation sur la vie et la mort.

LES BERGERS D'ARCADIE

Ce tableau a été peint à mi-carrière, en une période de sa vie où Poussin connaissait le succès. Les Bergers d'Arcadie *révèlent son goût pour la beauté sensuelle et la raison sans passion. Dans l'imaginaire poétique, l'Arcadie était le paradis d'une humanité idéale. Dans ce paysage idyllique, de jeunes bergers découvrent un tombeau, et donc le caractère inéluctable de la mort.*

UNE GÉOMÉTRIE AUSTÈRE
Le paysage et les arbres forment une grille d'horizontales et de verticales, qui se répète dans les poses et les attitudes des bergers. Cette géométrie rigoureuse est caractéristique de l'œuvre de Poussin.

DES GESTES PRÉCIS
Les bergers sont groupés en cercle autour de l'inscription centrale ; leurs gestes et leurs regards sont organisés pour concentrer l'attention sur cet élément clé.

■ Poussin est enterré à Rome et le sujet de ce tableau est sculpté sur la tombe qu'on lui a érigée entre 1828 et 1832. Cette œuvre a exercé une influence particulière sur David (p. 62) et sur Ingres (p. 70). Cézanne (p. 82) aussi a reconnu sa dette envers Poussin, en exprimant son intention de « refaire Poussin, d'après nature ».

UNE OMBRE SIGNIFICATIVE
Alors que l'Arcadie était supposée ne connaître que l'amour et le bonheur, l'ombre portée du berger agenouillé évoque un présage funeste.

1630-1640

1630   Début du ministère du cardinal de Richelieu.

1631   Début de la construction de l'église de la Salute, à Venise, où se conjuguent les influences de Palladio et du baroque romain.

1632   Galilée publie ses travaux sur le double mouvement de la Terre.

1634   Callot, *Misères et Malheurs de la guerre.*

1635   Fondation de l'Académie française.

1637   Descartes, *Géométrie.*

Et in Arcadia ego
L'inscription du tombeau, Et in Arcadia ego, « en Arcadie aussi, je suis là », peut faire allusion à l'omniprésence de la mort. Le tableau devient ainsi un sujet de discussion philosophique et poétique.

UNE ATTITUDE TRANQUILLE
Les bergers répondent à la découverte de la présence de la mort par une assurance digne, reflétant l'admiration de Poussin pour le stoïcisme antique.

> *Tel doit être le dessin des choses qu'il exprime l'idée même des choses. Que la structure ou composition des parties ne soit point recherchée avec peine, non point fatiguée, ni pénible, mais semblable au naturel.*
>
> POUSSIN

UNE LUMIÈRE SENSUELLE
Le paysage est baigné par la chaude lumière du soir, qui fait écho à la mélancolie et à l'atmosphère contemplative du tableau. Poussin admirait beaucoup l'œuvre de Titien (p.34) et, au début de sa carrière, il essayait de retrouver les couleurs et la lumière sensuelle des maîtres vénitiens. Plus tard, il atténua délibérément cette sensualité.

L'ACADÉMIE DES BEAUX-ARTS

L'Académie royale de peinture et de sculpture fut fondée à Paris en 1648. Sous la direction du peintre Charles Lebrun (1619-1690), l'Académie adopta une grande partie des idées de Poussin sur l'ordre et sur les objectifs intellectuels et moraux de l'art. Pratiquement, elle les dévia vers un système d'enseignement rigide et normatif ; dans le domaine théorique, elle mit l'accent, comme Poussin, sur la supériorité du dessin, supposé parler à l'intellect, vis-à-vis de la couleur, plus insaisissable.

■ En 1629, atteint d'une maladie qui menaçait sa vie, Poussin fut soigné par la famille de Jacques Dughet, un pâtissier français vivant à Rome. Guéri, il épousa la fille de celui-ci, Anne-Marie. En 1630, il peignait une première version des *Bergers d'Arcadie*, plus sombre et plus dramatique.

La beauté idéale
Tout l'art de Poussin est sous-tendu par la recherche d'une beauté idéale, qu'il pensait trouver dans la compréhension des lois de la raison. Les belles expressions de la bergère et de ses trois compagnons, ainsi que leurs poses soigneusement composées et équilibrées, représentent l'une des tentatives les plus réussies de Poussin pour satisfaire à cette aspiration.

■ Poussin arriva à Paris en 1624 après avoir quitté la maison familiale de Normandie. Il y vécut dans une grande pauvreté, jusqu'à ce que le poète italien Giambattista Marino (le Cavalier Marin) l'aidât à se rendre à Rome. Là, Poussin reçut le patronage de Cassiano del Pozzo, secrétaire du cardinal Francesco Barberini, qui possédait une remarquable collection de dessins et de gravures sur des sujets liés à l'Antiquité. Poussin put les étudier et leur influence sur son œuvre fut immense.

COMME DES ACTEURS EN SCÈNE
Les personnages sont placés dans un espace étroit, comme des acteurs sur une scène, devant une toile de fond. Poussin cherchait à inscrire dans son art les unités de temps, d'espace et d'action que prônait la tragédie classique.

■ Poussin travaillait lentement et avec beaucoup de réflexion. Il commençait par étudier au lavis les scènes inspirées de textes littéraires. Ensuite il disposait de petits personnages de cire sur une scène en réduction. Ce n'était qu'après de nouveaux dessins d'après modèle qu'il se mettait à peindre.

◄ Nicolas Poussin :
Les Bergers d'Arcadie,
v. 1638, 85 x 121 cm, huile sur toile. Louvre, Paris.

ŒUVRES CLÉS

• *La Mort de Germanicus*, 1626-1628. Institute of Arts, Minneapolis.

• *L'Adoration du Veau d'or*, v. 1637. National Gallery, Londres.

• *Autoportrait*, 1650. Musée du Louvre, Paris.

• Suite *Les Quatre Saisons*, 1660-1664. Musée du Louvre, Paris.

VELÁZQUEZ (1599-1660)

La carrière de Diego Velázquez est intimement liée au règne de Philippe IV d'Espagne. Le peintre était sévillan mais, peu après le couronnement de Philippe, en 1621, il se rendit à Madrid et se gagna la faveur de la cour. Son premier portrait du jeune roi enchanta tellement Philippe que celui-ci accorda à Velázquez l'exclusivité de ses portraits à venir. Cette personnalité hautaine plaisait au monarque et il s'établit entre eux un rapport inhabituellement étroit, qui fit du peintre de cour un homme de confiance, revêtu de diverses charges politiques et administratives. Son style se modifia considérablement lorsqu'il se rendit en Italie, où il subit l'influence des maîtres vénitiens. Velázquez ne produisit pas beaucoup, et pourtant il exerça une grande influence. Certains peintres, dont Manet (p. 76) et Picasso (p. 102), le considèrent comme le plus grand d'entre eux.

Diego Velázquez

LE PORTEUR D'EAU DE SÉVILLE

Velázquez a peint ce tableau, réaliste dans ses détails, à l'âge de vingt ans à peine. Le sujet, caractéristique de ses premières œuvres, montre les humbles clients d'une taverne espagnole.

LE PORTEUR D'EAU
Quelle que fût la condition de ses modèles, Velázquez a toujours fait ressortir un aspect de leur nature : ici, la dignité du vieil homme.

LE CLAIR-OBSCUR
Le *chiaroscuro,* contraste violent de lumière et d'ombre, et l'éclairage puissant provenant de l'angle inférieur gauche sont des caractéristiques de la première période, qui dénotent l'influence du Caravage (p. 38). L'harmonie subtile et douce de bruns profonds et de noir se transformera plus tard en une palette plus riche et plus chaude.

■ **Velázquez emporta à Madrid ce tableau qui contribua à asseoir sa réputation et qui fut acheté par le chapelain de la cour. La maîtrise du jeune peintre y est déjà manifeste.**

LA VIRTUOSITÉ
Le rendu illusionniste du verre est un tour de force, au point que cet objet devient le centre d'attraction du tableau.

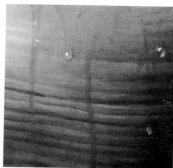

La texture de la poterie
Autour du verre se noue un réseau complexe d'ombres, de lumières et de textures dont les gouttes d'eau fournissent un bel exemple.

Diego Velázquez ▶
Le Porteur d'eau de Séville,
v. 1618, 106 x 82 cm, huile sur toile.
Musée Wellington, Londres.

VELÁZQUEZ, PEINTRE DE COUR

Philippe IV nomma Velázquez gentil-homme de la chambre en 1627. C'était la première d'une série de nominations qui se termina en 1652 par le titre prestigieux de chambellan. Les nombreuses fonctions du peintre comprenaient l'ameublement et la décoration des appartements royaux, ainsi que l'organisation des manifestations publiques et des voyages de la famille royale. Les tâches exigées par le mariage en juin 1660 de la fille de Philippe, Marie-Thérèse, avec Louis XIV épuisèrent Velázquez qui, frappé par les fièvres, mourut deux mois plus tard.

> *Tout ayant été dit et fait, Velázquez reste le meilleur.*
>
> PABLO PICASSO

■ Velázquez hébergea Rubens (p. 40) lorsque le grand peintre flamand vint à Madrid en mission diplomatique, en 1628. Partageant les mêmes goûts, notamment pour les maîtres véni-tiens, les deux artistes se lièrent d'amitié.

● L'ESPACE
Comme dans beaucoup d'œuvres de Velázquez, la composition est simple et l'espace sans grande pro-fondeur.

ŒUVRES CLÉS

• *La Reddition de Bréda,* 1634-1635. Prado, Madrid.

• *Vénus au miroir),* v. 1649. National Gallery, Londres.

• *Le Pape Innocent X,* 1650. Galerie Doria Pamphilj, Rome.

• *Les Ménines,* v. 1656. Prado, Madrid.

■ Le peintre voyagea deux fois en Italie. Lors de sa seconde visite, en 1648, il reçut commande d'un portrait du pape Innocent X. Celui-ci qualifia le tableau de « trop ressemblant ».

Le coup de pinceau
Le style pictural de Velázquez devint de plus en plus souple et fluide. Cela tenait en partie à son amour de l'art vénitien et à une technique de plus en plus rapide.

L'INFANTE MARGUERITE EN ROBE ROSE

Ce portrait fut peint peu avant la mort de l'artiste. L'infante, née du second mariage de Philippe IV, avait huit ou neuf ans. À la fin de sa vie, Velázquez peignit plusieurs portraits d'enfants royaux, avec qui il était très lié.

● L'HARMONIE DES COULEURS
La lourde draperie et la robe somptueuse de l'infante permettent à l'artiste de déployer tout son sentiment de la couleur. Le tableau resplendit d'harmonies de rouge et d'or, faisant contraster les nuances chaudes avec la pâleur des chairs.

■ La faveur du roi ne quitta jamais Velázquez. En 1659, Philippe IV éleva son peintre de cour au rang de chevalier de l'ordre de Saint-Jacques.

● DES YEUX D'ENFANT
L'expression de Marguerite est solennelle. Sa pose et son habillement rappellent le formalisme de la cour d'Espagne. Les traits sont rendus sans aucune concession.

■ Velázquez était des plus habiles à concilier des qualités virtuellement contradictoires : grandeur, réserve et réalisme. C'est un des éléments qui rendent ses portraits royaux si pénétrants.

● LES MAINS ET LE VISAGE
Velázquez considérait les mains comme aussi expressives que le visage. Dans les deux tableaux ci-contre, les mains sont mises en évidence et l'artiste crée entre elles une relation formelle subtile.

◄ Diego Velázquez :
L'Infante Marguerite en robe rose, v. 1654, 212 x 147 cm, huile sur toile. Prado, Madrid.

1640-1650

1640	Le Portugal se détache de l'Espagne.
1642	Le pape condamne le jansénisme. Rembrandt, *La Ronde de nuit.* Le Nain, *La Famille de paysans.*
1643	Louis XIV sacré roi à cinq ans.
1644	Fin de la dynastie Ming, en Chine.
1646	Murillo, *La Cuisine des anges.*
1648	Fin de la guerre de Trente Ans. Indépendance de la Hollande. Fondation par Mazarin de l'Académie royale de sculpture.

Rembrandt van Rijn

REMBRANDT (1606-1669)

Fils d'un meunier aisé, Rembrandt reçut une bonne éducation et atteignit rapidement à la notoriété en peignant les portraits de famille de riches marchands. Puis sa vie fut assombrie par un drame personnel. Sa femme Saskia mourut après huit ans de mariage et trois de leurs enfants succombèrent en bas âge ; seul un fils, Titus, survécut. Vivant au-dessus de ses moyens, Rembrandt finit par tomber dans de sérieuses difficultés financières. Cependant, comme il visait à explorer les émotions et les faiblesses humaines plutôt qu'à proclamer des idéaux élevés, les difficultés de la vie n'entamèrent pas mais renforcèrent la puissance de son art. Aujourd'hui, l'on considère Rembrandt comme le plus grand peintre hollandais du XVIIᵉ siècle. Les autoportraits qu'il peignit durant toute sa carrière témoignent des changements survenus dans sa vie et son art, tout en exprimant sa ténacité devant l'adversité.

AUTOPORTRAIT AVEC SASKIA
Ce portrait déborde de l'énergie qui caractérise les premières œuvres de Rembrandt. Il le peignit peu après son mariage en 1634 et il s'y représente heureux et bon vivant.

L'INVITE
Rembrandt lève son verre comme pour célébrer ses succès. Son regard et celui de Saskia impliquent le spectateur dans la scène.

■ On sait peu de chose sur la formation picturale de Rembrandt, si ce n'est qu'il la conclut par six mois de travail à l'atelier de Pieter Lastman (1583-1633), où il apprit les techniques narratives de l'art italien ainsi que les expressions du visage et du geste.

SASKIA VAN UYLENBURGH
Saskia venait d'une bonne famille et elle participa à l'élévation du niveau social de Rembrandt, à qui le mariage valut des relations et une réputation.

LE PAON
La nappe et le paon dressé sur son plat dénotent une vie privilégiée. Le paon est aussi symbole de fierté.

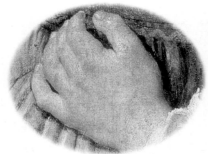

Un geste amoureux
Rembrant recourt à un geste protecteur, simple mais parlant, pour exprimer son amour envers sa jeune épousée.

ŒUVRES CLÉS

• *Autoportrait,* 1629.
Mauritshuis, La Haye.

• *La Ronde de nuit,* 1642.
Rijksmuseum, Amsterdam.

• *La Fiancée juive,* v. 1665.
Rijksmuseum, Amsterdam.

▲ **Rembrandt van Rijn :**
Autoportrait avec Saskia, v. 1636,
161 x 131 cm, huile sur toile.
Gemäldegalerie, Dresde

LA TENDRESSE
Rembrandt prend Saskia par la taille. Il a peint d'elle, qu'il aimait beaucoup, plusieurs portraits pleins de tendresse.

UN HABIT DE FANTAISIE
Rembrandt aimait à se représenter dans des costumes fantaisistes, parfois orientaux. Il se montre ici en bretteur, chapeau emplumé, épée bien en évidence.

RUINE

Avec Saskia, Rembrandt vivait non sans extravagance, dans une grande maison élégante. Après la mort de sa femme, sa réputation resta élevée mais le goût changea et il reçut moins de commandes. En 1657-1658, sa maison et ses biens furent mis aux enchères pour payer ses dettes, et il déménagea dans un quartier plus pauvre. Il échappa à la banqueroute complète grâce à sa maîtresse Hendrijke et à son fils Titus, qui constituèrent une société de commerce d'art et prirent Rembrandt comme employé.

Couleur et forme
Jusque dans les détails d'un œil noyé dans l'ombre, le travail de la brosse assume l'essentiel de la construction des formes.

LE TRAITEMENT
Le traitement pictural est très libre, les couleurs sombres et riches. L'intérêt de Rembrandt pour le clair-obscur reste dominant, mais il l'utilise pour créer une atmosphère poétique et non plus, comme les caravagesques, pour accroître l'intensité dramatique.

■ Le portrait de cette page a été peint après la mort d'Hendrijke Stoffels, devenue la maîtresse de Rembrandt après être entrée chez lui comme servante en 1645. Il était très amoureux d'elle mais il ne put l'épouser, en raison d'une clause du testament de Saskia.

AUTOPORTRAIT

Rembrandt avait près de soixante ans lorsqu'il peignit cet autoportrait, l'un des nombreux qu'il termina à la fin de sa vie. Cette version est particulièrement directe et sans concession.

LES CERCLES
Les cercles du fond restent un mystère. On a supposé que Rembrandt faisait allusion au cercle parfait que Giotto avait tracé pour faire montre de son habileté, mais ce pourrait n'être qu'une légende romantique.

LA MOUSTACHE
La moustache est rendue par grattage de la pointe du pinceau dans la peinture humide. Rembrand est devenu techniquement de plus en plus libre et inventif.

■ Rembrandt a encore vécu six ans après avoir peint ce tableau. Il fut à charge de Titus jusqu'à la mort de celui-ci en 1668, puis de Cornelia, fille d'Hendrijke Stoffels. Celle-ci mourut en 1663, deux ans avant l'achèvement de cet autoportrait. Rembrand est enterré à côté d'elle et de Titus, à Amsterdam.

LE PEINTRE
Rembrandt s'est représenté sans aucun apparat, négligé, tenant les instruments de son métier : palette, pinceaux, appuie-main. Il ne joue plus de rôle, ne se costume plus.

▲ **Rembrandt van Rijn :**
Autoportrait, v. 1665,
114 x 94 cm, huile sur toile.
Legs Iveagh, Kenwood, Angleterre.

■ Rembrandt fut admiré de son vivant, bien qu'il se tînt hors du courant principal de l'art hollandais. Ses contemporains s'intéressaient au paysage, à la nature morte ou à la peinture de genre, alors que Rembrandt se consacrait surtout aux représentations de la vie sociale.

DÉTAILS INACHEVÉS
Rembrandt estimait que le peintre avait le droit de laisser des parties du tableau inachevées s'il avait « atteint son but ». Toutefois ses clients lui réclamaient généralement un style plus précis et plus détaillé.

1660-1700

1660	Vermeer, *La Dame à la fenêtre*.
1661	Gouvernement personnel de Louis XIV.
1662	Charles Le Brun premier peintre du roi. Philippe de Champaigne, *La Mère Agnès*.
1663	Le Nôtre, jardins de Versailles.
1665	Molière, *Le Misanthrope*.
1667	Milton, *Le Paradis perdu*. Perrault, façade du Louvre.
1660	Newton, lois de la gravitation.
1677	Spinoza, *L'Éthique*. Racine, *Phèdre*.
1678	Mme de Lafayette, *La Princesse de Clèves*.
1685	Révocation de l'édit de Nantes.

TER BORCH (1617-1681)

Gérard Terborch fut un artiste précoce. Son premier dessin daté est de 1625 : il avait donc huit ans. Né dans une famille aisée, il apprit le métier avec son père, fonctionnaire et peintre. Il entra dans la corporation de Haarlem en 1635, alors que Rembrandt (p. 48) se faisait un nom à Amsterdam. Au contraire de la plupart des peintres hollandais, il voyagea beaucoup et visita l'Angleterre, l'Italie, la France, l'Espagne et l'Allemagne. Il vécut assez pour voir la naissance de la République hollandaise, devenue indépendante après un long combat contre l'Espagne. Cette indépendance fut reconnue par le traité de Münster, signé en 1648. Ter Borch était présent à cette signature, dont il immortalisa les participants par un petit portrait de groupe sur cuivre. Sa grande innovation fut le développement d'un nouveau genre de portrait, qui connut une grande vogue auprès de la bourgeoisie hollandaise : de petit format mais en pied. En dérivent ses scènes d'intérieur, intimes et anecdotiques, dont certaines prennent rang parmi les chefs-d'œuvre de l'art hollandais du XVIIe siècle. Il influença notamment son talentueux compatriote Vermeer (1632-1675), qu'il rencontra en 1653.

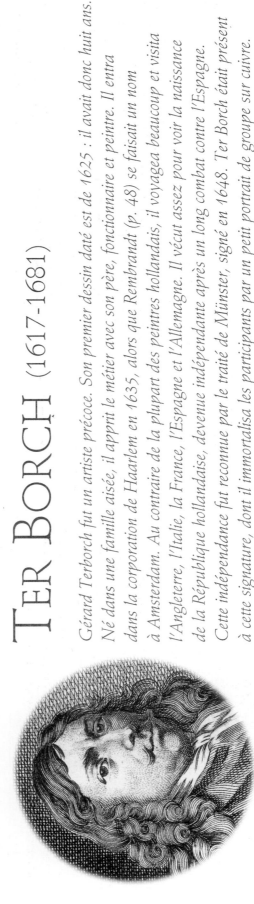

Gérard Terborch

ŒUVRES CLÉS

• *Paix de Münster*, 1648. National Gallery, Londres.

• *Jeune Garçon épouillant son chien*, v. 1658. Alte Pinakothek, Munich.

• *Dame pelant une pomme*, 1660. Kunsthistorisches Museum, Vienne.

■ Ce sujet est devenu universellement célèbre au XVIIIe siècle sous la forme d'une gravure intitulée l'Avis paternel, où la pièce dans la main du militaire (détail essentiel à la compréhension du caractère équivoque de la scène) était omise. Goethe (1749-1832) écrivit des vers d'après la gravure, perpétuant ainsi une interprétation inexacte.

LE LIT ET LA COIFFEUSE
Le lit à baldaquin et la table de toilette font penser à une chambre d'une fille publique. La société hollandaise était fière de son organisation et de son sens pratique ; aussi admettait-elle la nécessité de la prostitution aussi bien que celle des vertus familiales.

Un érotisme latent
Ter Borch, qui aimait les nuques longues et minces, nous invite à nous y attarder. La mode de l'époque exigeait le port de grandes collerettes cachant, par décence, les épaules et la poitrine. Le spectateur du XVIIe siècle devait certainement remarquer qu'ici la jeune femme n'en porte pas.

■ Ce tableau fut vendu aux enchères à Paris au XVIIIe siècle. On admirait alors beaucoup, en France, la peinture hollandaise de genre, qui influença des artistes comme Fragonard (p. 58).

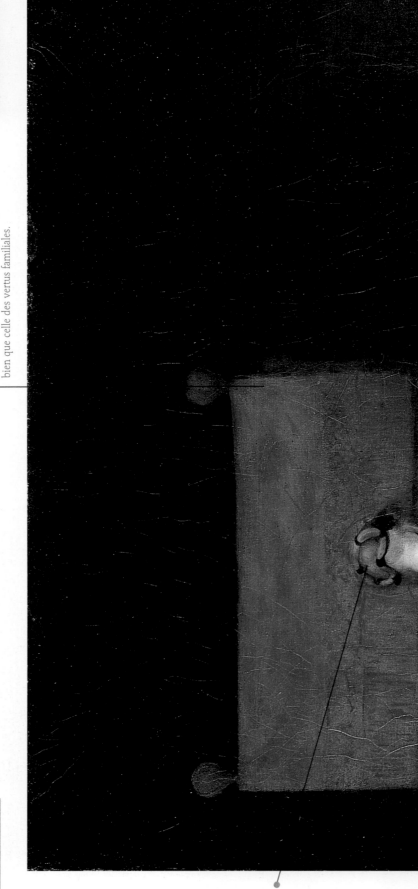

L'AVIS PATERNEL
Le premier propriétaire de ce tableau a dû se réjouir de l'ambiguïté du sujet, puisqu'il connaissait les détails indiquant qu'il s'agit probablement d'une scène de maison de tolérance. Au XVIIIe siècle, le sens de l'œuvre fut détourné. Elle reçut alors son titre actuel et son interprétation moralisatrice.

LE VISAGE DÉTOURNÉ
Ce dispositif élimine toute l'expression psychologique du personnage. L'accent est mis sur la joliesse de l'« objet » féminin.

LES DÉTAILS

L'HOMME D'ARMES
Ce militaire est manifestement ravi, et il offre une pièce en paiement de prestations amoureuses. Terborch a peint plusieurs tableaux sur le thème de l'officier élégant en conversation galante.

LA VIEILLE FEMME
Cette vieille qui sirote son vin avec une délicatesse contrainte et qui baisse les yeux avec une discrétion ironique est la proxénète de la jeune femme. Sa manière prétentieuse de tenir son verre caricature les bonnes manières.

LA JEUNE FEMME
En tournant le dos au spectateur, la jeune femme crée un air de mystère. On trouve dans beaucoup de tableaux de Ter Borch ce procédé qui suggère des pensées secrètes sans les révéler. C'est aussi l'une des qualités que l'on célèbre chez Vermeer.

Les collectionneurs hollandais appréciaient les œuvres riches en détails pittoresques. La tradition de la nature morte s'est établie en Hollande au XVIIe siècle.

■ Le mémorialiste anglais John Evelyn (1620-1706) a fait part de sa surprise devant le dynamisme du marché d'art hollandais et devant la forte demande de tableaux tels que *l'Avis paternel*. En 1641, il notait que certains de ces tableaux étaient achetés en vue d'un investissement financier.

▼ Gérard Ter Borch :
L'Avis paternel,
v. 1655, 71,5 x 62 cm,
huile sur toile.
Staatliche Museen, Berlin.

1650-1660

1650	Début de la Fronde des princes, qui sera réprimée par Mazarin.
1653	Cromwell. Triomphe du puritanisme en Angleterre.
1656	Fondation de l'Académie française de Rome. Le Bernin, place Saint-Pierre de Rome. Rembrandt, *La Leçon d'anatomie*. Velázquez, *Les Ménines*.
1657	Pascal achève *Les Provinciales*, Scarron, *Le Roman comique*.
1658	Le Hollandais Swammerdam découvre les globules rouges du sang.
1659	Traité des Pyrénées entre la France et l'Espagne.
1660	Vermeer, *La Dame à la fenêtre*.

Soie et satin
Ter Borch est connu pour son rendu tactile de la soie et du satin. Il pourrait avoir été influencé par la manière et la technique de Velázquez (p. 46).

UNE PALETTE SOBRE
La technique de Ter Borch est d'une grande finesse et l'une de ses caractéristiques est une composition simple, aux tons chauds soigneusement équilibrés. Whistler (p. 80) admirait beaucoup ces qualités et en fut influencé.

UNE SOCIÉTÉ AISÉE
Le peintre a usé d'un nouveau format, en hauteur, pour ses scènes de la « bonne société ». Sa fortune personnelle lui rendait ce monde familier. Les scènes de genre hollandaises plus anciennes montraient des paysans déguenillés dans les tavernes.

■ Les tableaux de genre, de petit format et sans prétentions, illustrent un incident de la vie quotidienne, souvent accompagné d'un message divertissant ou moralisant. Ils ont toujours eu du succès auprès des collectionneurs de la bourgeoisie riche.

" Les peintres hollandais étaient des gens casaniers, d'où leur originalité "

CONSTABLE

La main repeinte
Il est clair que la main du militaire a été repeinte pour éliminer la pièce de monnaie ou la transformer en bague. La modification de cet infime détail change radicalement la signification du tableau. Elle date probablement du XVIIIe siècle.

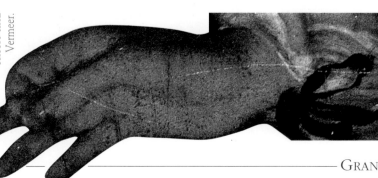

L'ART D'UNE NOUVELLE RÉPUBLIQUE

Au XVIIe siècle, l'Europe était dominée par les monarchies catholiques qui demandaient à l'art de les glorifier et d'exalter la religion. La Hollande faisait exception : affranchie de l'Espagne, elle s'érigea en république. Elle prospéra grâce au commerce, à la banque et aux manufactures, et dépensa ses bénéfices en produits de luxe et en œuvres d'art. Pour décorer leur maison, les bourgeois voulaient des tableaux de petit format qui célébreraient leur nouvelle aisance. On mit donc à la mode les paysages, les natures mortes et les scènes de genre décrivant divers aspects de la vie dans le pays.

51 • TER BORCH

CANALETTO (1697-1768)

Pendant une vingtaine d'années, Canaletto fut l'un des artistes les plus cotés d'Europe. Ses vues de Venise étaient très recherchées, surtout par les touristes anglais qui parcouraient l'Italie, en quête d'instruction, d'art et d'aventure. Né à Venise, Canaletto connaissait intimement les monuments, le peuple et l'histoire de la Sérénissime (p. 20). Il apprit le métier auprès de son père, décorateur de théâtre, et il portait en lui la tradition de l'art vénitien, faite d'amour de la couleur, de théâtralité et de sensualité. Il fut toutefois victime de son succès, l'excès de la demande l'ayant conduit à reproduire mécaniquement une formule. Pour finir, la mode changea et le public se fatigua de son œuvre. Il passa dix ans en Angleterre, dans l'espoir de retrouver le succès, mais en 1755 il retourna à Venise où il mourut pauvre, seul et oublié.

Giovanni Antonio Canale

> ❝ *Je place Velázquez sur le même plan que Canaletto. Les deux hommes vont de pair.* ❞
>
> WHISTLER

LE RETOUR DU BUCENTAURE LE JOUR DE L'ASCENSION

Canaletto a peint ce sujet au début de sa carrière. Il y décrit la plus grande fête du calendrier vénitien. Le jour de l'Ascension, le doge était conduit sur le Bucentaure au Lido, où il épousait rituellement la mer, en y jetant un anneau d'or.

Le lion ailé

Saint Marc est le patron de Venise. Son symbole, un lion ailé, décore une colonne de la Piazzetta, devant le Môle. On le voit aussi au sommet du campanile et sur l'étendard de la République.

LES BÂTIMENTS HISTORIQUES

Trois monuments historiques bordent le côté gauche du tableau : l'ancienne monnaie (Zecca), à deux étages, où l'on frappait les pièces de la République, la bibliothèque Saint-Marc, construite en 1540 sur les plans de Sansovino, et le campanile, qui servait d'amer aux navires arrivant à Venise.

OMBRE ET LUMIÈRE

Bien que la composition déborde d'une activité grouillante, Canaletto l'a organisée et mise en scène de telle manière que les ombres et la lumière guident l'œil le long d'un parcours soigneusement médité. Les gondoles noires sur l'eau scintillante fournissent un bon exemple de cette technique.

▲ **Canaletto** : *Le Retour du Bucentaure le jour de l'Ascension*, 1730, 330 × 425 cm, huile sur toile. Collection Aldo Crespi, Milan.

CANALETTO EN ANGLETERRE

Les touristes britanniques, qui désiraient garder des souvenirs de leur séjour, enrichirent Canaletto. Toutefois la guerre de Succession d'Autriche (1741-1748) fit obstacle aux voyages sur le continent, et moins d'Anglais atteignaient l'Italie. Aussi Canaletto se rendit-il en Angleterre pour ne pas perdre la faveur de ses clients, mais il ne retrouva jamais le succès de ses débuts. Il ne parvint pas à capter les nuances tempérées de la lumière du Nord. Il exerça néanmoins une forte influence sur le développement de l'école des aquarellistes paysagistes anglais, et ses vues de Venise restent en Grande-Bretagne l'ornement de nombreuses maisons patriciennes.

■ L'art de Canaletto flatte l'œil plutôt que l'intellect. Il suivait en cela une tendance du début du XVIIIᵉ siècle. Plus tard, la découverte des ruines romaines d'Herculanum et de Pompéi fit changer le goût, et le sévère style néoclassique devint à la mode. Canaletto ne s'adapta pas à cette évolution.

Une fête populaire
Les détails du Bucentaure, la barque d'apparat, et les personnages observés avec fraîcheur sont du meilleur Canaletto. Plus tard, ces silhouettes deviendront répétitives et sans imagination.

LE PALAIS DES DOGES
Le palais des Doges était le siège du gouvernement mais, au temps de Canaletto, le pouvoir politique n'avait plus guère de consistance. Le dernier doge se démit en faveur de Napoléon le 12 mai 1797.

■ Lorsqu'il retourna de Londres à Venise, Canaletto sollicita son admission à l'Académie vénitienne, nouvellement fondée, mais en un premier temps sa demande fut rejetée : il s'écartait trop des sujets·sérieux et des règles doctrinales de l'art et de l'enseignement académiques.

■ Cette scène est une représentation fictive puisqu'elle est peinte à partir d'un point de vue élevé qui, en réalité, n'existe pas à cet endroit. Canaletto était très discret sur la manière dont il exécutait techniquement des compositions aussi spectaculaires. On pense qu'il se servait d'une chambre noire combinant lentilles et miroirs pour projeter une image. Il esquissait aussi, au crayon, des façades et d'autres détails. Le projet de tableau se construisait à partir de ces études mais aussi de mémoire.

L'EAU ET LE CIEL
L'un des charmes exceptionnels de Venise, c'est l'union magique du ciel, de la lumière et de l'eau. Beaucoup de peintres ont tenté de capter cette beauté rare et changeante. Peu y ont réussi, dont Canaletto. Turner (p. 66) l'admirait beaucoup et séjourna plusieurs fois à Venise, captivé par l'extraordinaire qualité du ciel.

L'ÉTENDARD DE VENISE
La bannière pourpre reproduit l'image du lion de saint Marc. Canaletto en a répété la vive couleur en d'autres points forts de la toile, pour unifier la composition et pour guider l'œil. Cet usage de la couleur est typique de la tradition vénitienne.

■ Le succès de Canaletto doit beaucoup à Joseph Smith, diplomate anglais à Venise qui aidait les touristes à profiter au mieux de leur visite. Il possédait de nombreux tableaux de Canaletto, et il recommandait activement le peintre. Après 1760, il subit des difficultés financières et il dut vendre sa collection, dont une partie fut achetée par le roi d'Angleterre Georges III.

LUMIÈRE ET COULEUR
La clarté et la précision des effets de lumière, les ombres nettes, l'exactitude des détails architecturaux et anecdotiques caractérisent un style qui a tant plu aux clients étrangers de Canaletto. On ne trouve que deux de ses œuvres à Venise même.

■ Bernardo Bellotto (1720-1780), neveu de Canaletto, fut son assistant et son continuateur. Quittant Venise en 1747, il poursuivit sa carrière à Dresde, à Vienne et à Varsovie.

HOGARTH (1697-1764)

Souvent appelé le père de la peinture anglaise, Hogarth pensait que l'Angleterre ne possédait pratiquement pas de bons peintres. Il réussit à ouvrir la voie à la fondation de la Royal Academy et à l'épanouissement d'une importante école anglaise. Londonien, très ambitieux et grand patriote, il subit fortement l'influence du théâtre et celle de la tradition satirique propre à la littérature anglaise. Il connaissait d'expérience les rigueurs de la vie et les folies des hommes : alors qu'il avait dix ans, son père, maître d'école, fut emprisonné pour dettes avec toute sa famille. Hogarth apprit d'abord la gravure et, en tant que peintre, il était largement autodidacte. Il aspirait à un art

William Hogarth

qui intéresserait le citoyen ordinaire plutôt que les connaisseurs et les critiques, qu'il méprisait. Il réalisa cette ambition en créant un nouveau genre de peinture, que l'on pouvait reproduire sous forme de gravures populaires. Il obtint beaucoup de succès mais la fin de sa vie fut assombrie par les ennuis de santé et les querelles politiques.

■ Dans le tableau, une foule d'incidents sont habilement reliés entre eux par la composition des groupes entourant les deux tables. L'œuvre s'inspire de la lutte pour le siège d'Oxford, lors des élections générales de 1754, opposant les Whigs (parti de la nouvelle bourgeoisie) aux Tories (parti de l'aristocratie et des traditionnalistes).

UN BANQUET ÉLECTORAL

Ce tableau appartient à une série de quatre, évoquant les différents aspects d'une élection locale. C'est la dernière œuvre importante de Hogarth, et l'une des meilleures. Typique de son style, elle présente une scène qu'on pourrait jouer au théâtre. Chaque personnage y tient son rôle, caractérisé par la mimique, le costume et le maintien. La série a été gravée en noir et blanc pour le marché populaire.

LES CANDIDATS
Le banquet a été payé par les Whigs. Ils ont deux candidats : l'un subit les effusions d'une grosse dame dont le mari met le feu à sa perruque et dont la fille lui vole une bague ; l'autre, derrière lui, est la proie de deux ivrognes.

Le maire
Assis à une table séparée, le maire a un malaise : il a mangé trop d'huîtres. On le saigne ; c'était le remède universel au temps de Hogarth, où les barbiers servaient aussi de chirurgiens.

LIBERTÉ ET LOYAUTÉ

Hogarth offre une description très vivante de la société britannique de son temps. Le pays subissait de grandes transformations. Le système social était solide, parfois cruel, et ignorait les crises de confiance. La démocratie parlementaire était unique en son genre et contrastait avec les monarchies absolues du continent. La Grande-Bretagne était devenue l'une des premières puissances mondiales et se taillait un empire colonial, qui englobait alors l'Amérique du Nord. Hogarth croyait que l'Angleterre aurait bientôt des peintres de réputation internationale. La devise « Liberté et Loyauté » exprime son attitude envers sa patrie.

▲ **William Hogarth :** *Un banquet électoral,* 1754, 101,5 x 127 cm, huile sur toile.
Sir John Soane's Museum, Londres.

■ Hogarth était un portraitiste accompli, particulièrement versé dans le traitement des portraits de groupe appelés « conversations ». Toutefois ses portraits ne faisaient pas plus de concessions que ses autres œuvres.

ŒUVRES CLÉS

• *La Carrière du roué*, 1735. Sir John Soane's Museum, Londres.

• *La Marchande de crevettes*, 1740. National Gallery, Londres.

• *Le Capitaine Coram*, 1740. Coram Foundation, Londres.

■ L'une des grandes réussites de Hogarth a été l'invention du sujet moral moderne. Avant la série de l'*Élection*, il avait terminé *La Carrière du roué*, *La Carrière d'une catin* et *Le Mariage à la mode*. Il y illustre les faiblesses humaines mais il ne moralise jamais, laissant le spectateur libre de son jugement.

LE CORTÈGE DES TORIES

Une femme jette de l'eau par la fenêtre sur les Tories qui défilent avec des drapeaux et un mannequin portant l'écriteau « Pas de juifs ». Les Tories (qui obtinrent le plus de voix) s'opposaient à un projet de loi des Whigs selon lequel les juifs étrangers vivant en Angleterre auraient les mêmes droits que les juifs nés Anglais.

> *Ma peinture a été mon théâtre, les hommes et les femmes mes acteurs, chargés de présenter un spectacle muet au moyen de certaines actions et expressions.*
>
> HOGARTH

1730-1750

1730 Marivaux, *Le Jeu de l'amour et du hasard*.

1737 Tiepolo commence *L'Institution du rosaire* (Venise).

1734 Voltaire, *Lettres anglaises*.

1738 Fouilles d'Herculanum.

1740 Boucher, *Le Triomphe de Vénus*.

1741 Haendel, *Le Messie*.

1742 Premières manufactures de coton en Angleterre.

1748 Fouilles de Pompéi.

1749 Gainsborough, *M. et Mᵐᵉ Andrews*. Fielding, *Tom Jones*.

■ Bien que Hogarth ait gagné beaucoup d'argent avec ses gravures, les connaisseurs de son temps ne le prenaient pas au sérieux et il avait de la peine à vendre les tableaux qui servaient de modèles à ces gravures. Il ne trouva pas d'acheteur pour la série de *L'Élection* et il décida de la racler. Il demanda à son ami, l'acteur David Garrick, de l'aider. Garrick acheta les quatre tableaux pour un peu plus de 200 livres.

UN STYLE SIMPLE

Le style, personnel et sans complication, correspond au refus d'adopter les sujets et la manière des Français et des Italiens. Hogarth s'essaya au tableau d'histoire, où il ne réussit guère : cela donna des œuvres trop anecdotiques.

L'ORDRE D'ORANGE

Certains invités portent des rubans orange et les candidats sont assis sous un drapeau orange portant la devise : « Liberté et Loyauté ». Les Whigs étaient fidèles à la dynastie protestante issue de Guillaume d'Orange (1650-1702) alors que les Tories espéraient le retour des Stuarts catholiques, exilés en France.

■ Hogarth commença par être apprenti chez un orfèvre, d'où son intérêt pour la gravure. Désireux de devenir peintre, il étudia à l'académie libre de Sir James Thornbill. Plus tard, il s'enfuit avec la fille de son patron.

LE JET DE BRIQUES

L'homme qui tombe à la renverse a été frappé à la tête par une brique lancée à travers la fenêtre. Une autre brique casse un carreau.

Onze jours de perdus

Un fanion porte l'inscription : « Rendez-nous nos onze jours ». En 1752, la Grande-Bretagne adopta le calendrier grégorien. Pour mettre en œuvre la réforme, on fit suivre le mercredi 3 septembre par le jeudi 14. Des émeutes éclatèrent parce que les travailleurs croyaient avoir été escroqués de onze jours de salaire.

LES MÉFAITS DE LA BOISSON

Le garçon prépare le cocktail qui a déjà influencé les électeurs. L'œuvre de Hogarth montre souvent le comportement insensé des buveurs. Le peintre avait aussi un don particulier pour cerner le caractère des enfants.

■ En 1735, le parlement britannique vota le *Copyright Act* à la suite d'une campagne de Hogarth. Auparavant, tout graveur pouvait copier n'importe quel tableau sans compensation pour le peintre. Cette loi protégea les intérêts de ceux qui, comme Hogarth, avaient ainsi été pillés.

REYNOLDS (1723-1792)

Vrai professionnel à tout point de vue, Reynolds avait des dons artistiques, un rang social estimable et une parfaite maîtrise de la gestion commerciale. Il sut tout aussi bien influencer la politique culturelle. Il était de famille pauvre mais il reçut une bonne instruction : son père dirigeait une école. Très jeune, il voulut devenir peintre et créer un art érudit. Il fit son apprentissage chez le portraitiste Thomas Hudson et, en 1549, il accomplit comme beaucoup de peintres européens un grand voyage en Italie, où il se pénétra de l'exemple des maîtres de la Renaissance et des canons de la sculpture antique. À son retour en Angleterre, il entama à Londres une florissante carrière de portraitiste. À quarante ans, il était riche et reçu dans les couches sociales les plus élevées. Tout en satisfaisant ses ambitions personnelles, il usa de ses talents, le premier en Angleterre, pour donner un statut cohérent au métier d'artiste. Il croyait fermement à la fixation de règles et à la bonne organisation ; aussi fut-il membre fondateur et premier président de la Royal Academy, appelée à devenir la principale institution s'occupant d'exposer les œuvres d'artistes reconnus et de former les jeunes. Reynolds a contribué à la renommée du portrait britannique, auquel il a conféré une nouvelle dignité.

Sir Joshua Reynolds

THOMAS LISTER

Thomas Lister, qui deviendra Lord Ribblesdale, était le fils aîné d'un parlementaire britannique. Il avait douze ans lorsque ce portrait fut peint. L'œuvre est un bon exemple de la « grande manière » que Reynolds introduisit dans l'art du portrait. Elle montre aussi sa sensibilité et son habileté à rendre les traits essentiels de la personnalité du modèle.

■ Au XVIIIᵉ siècle, le portrait était l'une des principales sources de revenus pour un peintre mais on le considérait comme inférieur et moins difficile que la peinture d'histoire. Reynolds sut être de son temps en créant un nouveau style de portrait, chargé de références intellectuelles. Il s'essaya pourtant à d'ambitieux tableaux d'histoire, de grand format, mais sans succès.

UN COSTUME À LA VAN DYCK
Le jeune Thomas porte un habit de satin brun, orné d'une collerette et de manchettes de dentelle, avec des bottines brunes. Son costume est très élégant mais hors de mode : il s'inspire vaguement de ceux que portaient les modèles de Van Dyck au XVIIᵉ siècle. Il pouvait aussi bien appartenir à Thomas Lister qu'être un accessoire d'atelier.

Le portrait d'enfant

Reynolds était renommé pour la qualité de ses portraits d'enfants. Il possédait au plus haut point la faculté de détendre les enfants et de les rendre naturels, ainsi que celle de restituer ce qu'ils ont en eux d'innocence, de timidité et d'intensité de sentiment.

> 66 En tant que peintre de ce que les formes et l'esprit de l'homme contiennent de personnel, je pense qu'il [Reynolds] est le prince des portraitistes. 99

RUSKIN

■ Reynolds avait peu d'amis parmi les peintres. Il respectait son rival Gainsborough mais ne le fréquentait pas. Il pensait que l'œuvre de Gainsborough manquait de profondeur intellectuelle. Il se sentait plus à l'aise avec des hommes de lettres tels que Samuel Johnson et Edmund Burke.

UNE POSE ÉTUDIÉE
Reynolds était célèbre pour l'inventivité de ses poses. Aux références savantes à des œuvres d'autrui il ajoutait un mouvement gracieux, un port de tête et un maintien d'apparence naturelle, enfin l'expression d'un caractère au moyen des gestes de mains et de bras. Cela lui valut l'exclamation admirative de Gainsborough : « Sacré bonhomme, quelle variété ! »

1750-1760

1750 Piranèse, *Prisons*.
1751 Publication de l'*Encyclopédie*.
     Linné, *Philosophia botanica*.
1753 Goldoni, *La Locandiera*.
1755 Rousseau, *Discours sur l'origine et les fondements de l'inégalité parmi les hommes*.
     Tremblement de terre de Lisbonne.
1756 Début de la guerre de Sept Ans.
1757 Création du British Museum.
1758 Helvétius, *De l'esprit*.
1759 Voltaire, *Candide*.

LES DÉTAILS
Reynolds employait des aides pour peindre les draperies et les fonds. Peut-être est-ce le peintre anglais Peter Toms qui a exécuté les détails de ce portrait.

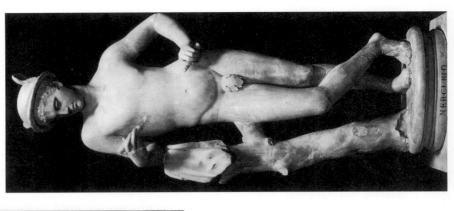

Mercure
De nombreux critiques d'art et connaisseurs considéraient cette statue antique de Mercure, messager des dieux, comme le parangon de la beauté idéale. Reynolds dut la voir lors de son voyage en Italie, à l'âge de vingt-six ans, et il s'attendait sans doute à ce que son public apprécie sa comparaison flatteuse entre le jeune gentleman et le dieu.

ŒUVRES CLÉS

- *Le Commodore Keppel*, 1753-1754. Musée maritime, Londres.
- *La Duchesse de Hamilton*, 1760. Lady Lever Art Gallery; Port Sunlight.
- *Lady Caroline Howard*, 1778. National Gallery, Washington.
- *La Mort de Didon*, 1780-1782. Buckingham Palace, Londres.
- *Mme Siddons en muse de la tragédie*, 1784. San Marino, Californie.

RÉMINISCENCES DE L'ANTIQUITÉ
Les jambes croisées dénotent l'adaptation subtile d'une figure antique de Mercure (voir adroite). La pose de Thomas Lister en est presque une réplique, mais le bras droit est tendu.

■ Reynolds avait le sens des affaires; son atelier était bien organisé et il savait se faire une bonne publicité. Au sommet de sa gloire, il recevait jusqu'à six modèles par jour, dont les séances et les paiements étaient notés dans un registre. Il pratiquait un barème tenant compte du format et du genre de portrait.

■ Reynolds avait développé toute une théorie de l'art, qu'il exposa dans ses célèbres *Discours* aux étudiants de la Royal Academy. Il insistait sur la nécessité d'apprendre en copiant les grands maîtres et il exhortait ses élèves à peindre dans la « grande manière ». Il pensait que l'art devait aspirer à atteindre un degré d'harmonie et de beauté idéale, auxquelles la nature seule ne pouvait prétendre.

UN TABLEAU BIEN CONSERVÉ
Cette œuvre est dans un état de conservation exceptionnel, contrairement à beaucoup d'autres, sévèrement détériorées par le temps à cause de leur mauvaise facture et de matériaux inappropriés. Reynolds manquait de bagage technique et il était trop souvent tenté par des pigments non éprouvés mais qui donnaient un bon résultat immédiat.

■ En Italie, Reynolds étudia avec passion les œuvres des anciens maîtres. On rapporte qu'il devint sourd des suites d'un refroidissement contracté lorsqu'il copiait au Vatican. Ses modèles étaient Michel-Ange (p. 28) et Raphaël (p. 32). Ses derniers tableaux dénotent l'influence de Rubens (p. 40) et de Rembrandt (p. 48) : il avait voyagé en Flandres et en Hollande en 1781. Il se considérait comme l'un des vrais successeurs de ces grands peintres.

UN CADRE PASTORAL
Ce paysage paisible reflète une mode élégante du temps en rappelant le thème de l'Arcadie, qui avait attiré beaucoup de grands artistes du XVIIe siècle (p. 42).

Sir Joshua Reynolds ▶
Thomas Lister, 1764, 231 x 139 cm, huile sur toile. Musée d'Orsay, Paris.

L'ACADÉMIE ROYALE BRITANNIQUE

La Royal Academy de Londres fut fondée en 1768, alors que la Grande-Bretagne devenait une grande puissance politique et se taillait un empire. Il s'agissait de créer une école artistique nationale, pour accroître l'intérêt et le jugement du grand public, ainsi que pour donner aux futures générations d'artistes un haut niveau professionnel et un goût sûr. Reynolds fut le premier président de l'Académie et le resta vingt ans, pendant lesquels il prononça ses *Discours*, devenus l'exemple classique de la doctrine académique de la « grande manière ». Il n'abandonna son poste qu'en 1790, lorsque la cécité l'empêcha de continuer à peindre.

FRAGONARD (1732-1806)

Charmant, spirituel, rond, soigné, vif, enjoué, les joues roses et les yeux pétillants, Fragonard était si doué et si indépendant qu'il sut défier la convention et marquer de son empreinte tout ce qu'il fit. Né à Grasse, fils d'un gantier, il accompagna sa famille à Paris à l'âge de six ans. Il commença par travailler dans l'étude d'un avocat mais il montra tant de disposition pour le dessin que son patron lui suggéra de fréquenter une école de beaux-arts. Après un apprentissage chez Chardin et Boucher, il reçut le prix de Rome. Il aurait pu devenir un bon peintre académique et alla donc se perfectionner à l'Académie française de Rome. À trente-cinq ans, il se décida à travailler pour des marchands de tableaux et de riches collectionneurs qui demandaient des œuvres intimistes pour leurs salons et leurs boudoirs. Avec ses scènes galantes et frivoles, délicieuses et aérées, qui résument tout l'esprit du rococo, Fragonard obtint un succès artistique et financier considérable. Toutefois la Révolution et le goût néoclassique changèrent le monde, et il mourut appauvri, oublié, démodé.

Jean-Honoré Fragonard

Louis XV

Louis XV (1710-1774) monta sur le trône à un moment où la France était l'une des premières puissances d'Europe. Les arts et métiers prospérèrent sous son règne, peut-être sous l'influence de Mme de Pompadour, maîtresse déclarée du roi et protectrice du « parti philosophique ». D'abord surnommé le Bien-Aimé, Louis XV jouit d'une réelle popularité mais les dépenses somptuaires et la négligence à l'égard des affaires de l'État, qui se poursuivirent sous le règne suivant, eurent pour prix la Révolution (p. 62) et la chute de la monarchie.

■ Fragonard eut une vie familiale heureuse. Il avait épousé la fille d'un parfumeur de Grasse, dont il eut plusieurs enfants. Sa sœur cadette vint habiter chez lui et, sous son égide, elle devint une artiste accomplie.

DES ARBRES DE FANTAISIE
Ces arbres extraordinaires doivent plus aux souvenirs d'enfance et aux années d'étude qu'à l'observation directe de la nature. Fragonard grandit dans la luxuriance des champs de fleurs de Grasse. En Italie, il s'intéressa plus à l'exubérance des jardins de Tivoli, où il passa l'été 1760, qu'à la sculpture antique.

LA FINESSE DU DÉTAIL
L'habileté technique de Fragonard lui permettait de varier son style. Ses préférences allaient au coup de pinceau rapide et fluide mais ici, il a choisi une facture exceptionnellement fine et détaillée, peut-être sous l'influence des maîtres hollandais du XVIIe siècle, à la mode auprès des collectionneurs français.

L'ESCARPOLETTE
Ce tableau est le plus bel exemple de ce que Fragonard a produit dans le genre galant et divertissant. Épiée par son amant caché dans les buissons, une belle jeune femme laisse gaiement échapper son soulier.

■ Le tableau a été commandé par un gentilhomme de la cour, sans doute le baron de Saint-Julien, à un peintre d'histoire, Gabriel-François Doyen, à qui il précisa qu'il désirait y voir sa maîtresse sur une escarpolette poussée par un évêque. Choqué, Doyen céda la commande à Fragonard.

LA LUMIÈRE
Fragonard était passé maître dans l'art de faire miroiter la lumière. Le véritable héritier de son style séduisant, qui exalte la beauté de la jeunesse et joue en virtuose des rayons de soleil, est l'impressionniste Auguste Renoir.

■ L'un des projets les plus ambitieux de Fragonard, *Les Progrès de l'amour*, consistait en un ensemble de grands panneaux décoratifs commandés en 1770 par Mᵐᵉ du Barry, qui avait succédé à Mᵐᵉ de Pompadour dans les faveurs du roi. Mais la mode se détourna du rococo pour le style néoclassique : les panneaux furent retournés au peintre en 1773, et le paiement refusé. Fragonard en fut profondément offensé.

LA MODIFICATION
Lorsqu'il refusa la commande du « gentilhomme de cour », Doyen lui recommanda Fragonard, qui accepta de bonne grâce. Cependant le mari de la jeune femme fut substitué à l'évêque.

■ La haute société française se complaisait aux intrigues et aux liaisons. Mᵐᵉ de Pompadour, maîtresse du roi et officiellement reçue à la cour, fut l'un des personnages politiques les plus puissants du pays.

▼ Jean-Honoré Fragonard :
L'Escarpolette, v. 1768.
81 x 65 cm, huile sur toile.
Wallace Collection, Londres.

■ Fragonard est connu surtout pour ses sujets galants mais il fut aussi un excellent portraitiste et il peignait le paysage avec beaucoup de facilité. Ses œuvres de jeunesse, historiques et religieuses, reçurent l'approbation officielle.

ŒUVRES CLÉS

- *Les Jardins de la villa d'Este à Tivoli*, v. 1760. Wallace Collection, Londres.
- *L'Orage*, v. 1760. Louvre, Paris.
- *La Prise de la citadelle*, v. 1770. Collection Frick, New York.
- *Le Baiser à la dérobée*, v. 1788. Ermitage, Saint-Pétersbourg.

Le mari
Fragonard a placé dans l'ombre le mari confiant de la jeune femme alors que le soleil éclaire le visage du gentilhomme. Si c'est le premier qui tient les ficelles de l'escarpolette, il la pousse vers son rival.

LA ROBE ROSE
Les courbes exubérantes de la robe bouillonnante, les délicates couleurs pastel et le thème de la jeunesse sont caractéristiques du style rococo, mouvementé et sensuel.

■ Bien que leur style et leur tempérament fussent complètement différents, David (p. 62) aida Fragonard tombé dans les difficultés après 1789. Il usa de son influence pour assurer à Fragonard des fonctions dans l'administration des beaux-arts et un modeste salaire. Le fils de Fragonard fut l'élève de David.

> « ... chérubin de la peinture érotique. »
> JULES ET EDMOND DE GONCOURT

L'AMANT
L'acheteur, qu'on suppose être le baron de Saint-Julien, fit part de son désir d'être placé de manière à voir les jambes de sa charmante maîtresse.

Sous-entendus ·
Fragonard s'amusait à peindre des détails cachés qui développaient le thème de l'amour. Les deux putti enlacés qui chevauchent un dauphin sont bien visibles mais le petit chien, au-dessous d'eux, est plus malaisé à distinguer.

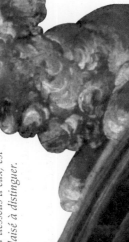

L'ESCARPIN
La chaussure qui s'envole dans les airs est un effet brillant qui attire l'attention et résume la légèreté du sujet.

LE SECRET
Le Cupidon de pierre accroche la lumière du soleil qui semble lui donner vie. Il pose le doigt sur les lèvres comme pour nous inviter à garder le secret du gentilhomme caché dans les buissons. La statue s'inspire de l'*Amour menaçant* de Falconet, commandé par Mᵐᵉ de Pompadour en 1756.

LES TROIS GRÂCES
Le socle de la statue de Cupidon porte un bas-relief à l'antique représentant les trois Grâces. Dans la mythologie grecque, elles étaient les suivantes de Vénus, déesse de l'amour. Fragonard les occulte à demi, peut-être par mépris de l'art ancien.

■ Auparavant puissante, l'Académie entra en déclin au milieu du XVIIIᵉ siècle, laissant la voie libre à des artistes indépendants comme Fragonard. David (p. 62) fut chargé de sa réforme par Napoléon Iᵉʳ.

1760-1780

1761   Greuze, *L'Accordée de village*. Rousseau, *La Nouvelle Héloïse*.

1762   Tournées de Mozart en Europe, à six ans.

1768   Fondation de la Royal Academy à Londres.

1771   Chardin, *Autoportrait ou Portrait de Chardin aux besicles*.

1774   Avènement de Louis XVI.

1775   Beaumarchais, *Le Barbier de Séville*.

1776   Indépendance américaine.

GOYA (1746-1828)

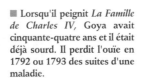

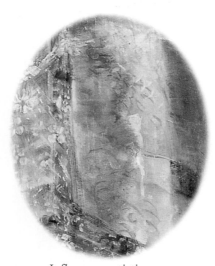

*Francisco José
de Goya y Lucientes*

*L'art de Goya est intimement lié aux événements dramatiques qui ont
secoué son pays pendant sa vie. Son génie ne fut pas précoce. Très
ambitieux, il chercha à parvenir à ses fins en s'assurant, à Madrid,
le patronage de la famille royale.
Il réussit, par habileté et par
obstination, à devenir non seulement
le premier peintre du roi (en 1799)
mais aussi l'un des artistes les plus
accomplis et les plus originaux
d'une époque qui ne manquait pas
de talents. D'esprit libéral et indépendant, il salua la Révolution
française de 1789 pour ses promesses de progrès politique ; puis
il vit le rêve s'évanouir et ses compatriotes se faire massacrer par
les troupes napoléoniennes. Sa propre vie ne fut pas exempte
d'épreuves, à commencer par la surdité. Il mourut en exil. Son
génie tient à la valeur universelle de sa peinture, qui dépasse
les modes et les styles.*

■ Goya est né près de Saragosse. Il était
le fils d'un maître doreur. À quatorze ans,
il entra en apprentissage chez un décorateur d'églises, avant d'entrer à l'académie
de Madrid. Élève moyen, il fut beaucoup
aidé par un peintre reconnu, Francisco
Bayeu (1734-1795). Il épousa la sœur de
Bayeu, Josefa, en 1773.

■ Lorsqu'il peignit *La Famille
de Charles IV*, Goya avait
cinquante-quatre ans et il était
déjà sourd. Il perdit l'ouïe en
1792 ou 1793 des suites d'une
maladie.

LA FAMILLE DE CHARLES IV
*Le roi est entouré des membres de sa
famille. Il est au pouvoir depuis un peu
plus de dix ans mais il devra abdiquer
en 1808. Les portraits de Goya sont
toujours sans concession pour ses
modèles, fussent-ils royaux.*

GOYA
Goya a placé son autoportrait dans le coin
sombre, où il se montre travaillant à sa toile.
Cette disposition évoque *Les Ménines* de
Velázquez (p. 46). Peu avant de commencer
ce tableau, il avait réalisé son ambition
de devenir premier peintre du roi.

LE PRINCE DES ASTURIES
Ferdinand était l'héritier du trône mais il intriguait
contre ses parents. Après que les Français eurent
été chassés d'Espagne par le duc de Wellington, il
devint roi et régna en despote, bannissant les
libéraux et supprimant la liberté de parole.

Influences artistiques
*Goya était profondément influencé
par les œuvres qu'il avait vues dans les
collections royales, et en particulier par les
tableaux de Titien (p. 24), de Rubens
(p. 40) et de Velázquez (p. 46). Comme
ces peintres, il aimait la richesse de la
couleur et l'ellipse du trait.*

■ Les fonctions de Goya à la cour étaient celles
de portraitiste et de cartonnier pour la manufacture royale de tapisserie. Cependant ses
œuvres les plus puissantes étaient d'inspiration
personnelle. On compte parmi celles-ci les
portraits de ses amis, les gravures des *Désastres
de la guerre* et les « peintures noires » de sa
propre maison, la Quinta del Sordo (la maison
du sourd).

CHARLES IV

Charles IV (1748-1819) n'était pas un descendant direct de son
homonyme habsbourgeois, l'empereur Charles Quint (p. 34). La
dynastie des Habsbourg s'éteignit en 1700 et le trône passa aux
Bourbons. Bien que né et élevé en Espagne, Charles IV était d'ascen-
dance française. Cousin de Louis XVI, il déclara la guerre à la France
lorsque celui-ci fut guillotiné, en 1793. L'armée française défit les
Espagnols en 1808 et Napoléon installa son frère Joseph Bonaparte
(1768-1844) sur le trône d'Espagne. Charles mourut en exil à Naples,
en 1819.

LA FIANCÉE À VENIR
Tous les membres de la famille sont identifiables sauf la femme qui détourne la tête, de
sorte qu'on ne puisse distinguer ses traits. Ce personnage a été introduit pour représenter
la fiancée de Ferdinand, qui n'avait pas encore été choisie.

« *Le sommeil de la raison engendre des monstres.* »

GOYA

■ Goya est né au siècle des Lumières et il n'a jamais perdu son optimisme foncier concernant la condition humaine. Certaines de ses meilleures œuvres observent et commentent les folies qui naissent de l'ignorance et de la superstition, illustrées dans la série des *Caprices.*

ŒUVRES CLÉS

- *Le Parasol,* 1777. Prado, Madrid.
- *L'Enterrement de la sardine,* 1793. Academia de San Fernando, Madrid.
- *Le Colosse,* 1810-1812. Prado, Madrid.
- *Tres de Mayo 1808,* 1814. Prado, Madrid.
- *Tauromachie,* 1816.

Charles IV
Le roi resplendit de tout l'éclat de ses médailles mais, en réalité, c'était un monarque faible, dominé par sa femme. Il fut balayé par les machinations politiques liées aux guerres napoléoniennes.

■ En 1824, le régime répressif instauré par Ferdinand obligea Goya, suspecté de libéralisme, à quitter l'Espagne. Le peintre vécut en exil à Bordeaux, jusqu'à sa mort.

◀ Francisco de Goya :
La Famille de Charles IV, 1800, 280 x 336 cm, huile sur toile. Prado, Madrid.

1780-1800

1781	Kant, *Critique de la raison pure.*
1783	Indépendance des États-Unis.
1784	David, *Le Serment des Horaces.*
1786	Goya est nommé peintre du roi.
1789	Révolution française. Houdon, *Washington.*
1791	Mozart, *La Flûte enchantée.* Paine, *Les Droits de l'Homme.*
1791	Wollstonecraft, *Défense des droits de la femme.*
1793	Exécution de Louis XVI. David, *Marat assassiné.* Ouverture du musée du Louvre.
1796	Canova, *Amour et Psyché.*
1799	Bonaparte premier consul.

DAVID (1748-1825)

Jacques-Louis David traversa l'un des bouleversements politiques et sociaux les plus considérables de l'histoire européenne, et il mit littéralement son art au service de la Révolution française. D'abord orienté vers l'architecture, puis élève du peintre Vien, il mit longtemps à trouver la consécration du prix de Rome. Il se fit ensuite le champion, brillamment doué, de ce nouveau style, particulièrement sévère, qu'on appelle le néoclassicisme. Ses premières grandes œuvres étaient destinées à Louis XVI mais, lorsque la Révolution éclata à Paris en 1789, David se rallia avec ardeur à la nouvelle cause politique et à sa devise « Liberté, Égalité, Fraternité ». Élu député à la Convention, il vota l'exécution du roi. Après la chute de Robespierre, il fut emprisonné et il ne dut sa libération qu'à l'intervention de ses élèves et de sa femme, royaliste. Le temps venu, il se rallia à Napoléon et peignit des œuvres apologétiques pour glorifier son héros. Lorsque Napoléon fut vaincu à Waterloo en 1815, David, exilé pour régicide, s'installa à Bruxelles où il mourut dix ans plus tard.

Jacques-Louis David

UN TRAVAILLEUR INFATIGABLE
Les aiguilles de l'horloge marquent 4 h 13. C'est la nuit : les bougies sont presque consumées. Napoléon se tient les yeux grands ouverts devant son bureau. Il vient à peine d'achever de se consacrer aux affaires de l'État.

Les décorations
Napoléon portait deux décorations : la légion d'honneur et la médaille commémorative des campagnes d'Italie. Il les avait créées toutes deux lui-même. Il fit David chevalier de la légion d'honneur en 1803.

PORTRAIT DE NAPOLÉON DANS SON BUREAU
Ce magnifique portrait en pied, grandeur nature, est d'un esprit ouvertement propagandiste. David se sert de la technique néoclassique, claire et détaillée, pour proposer l'image d'un homme d'État beau et vertueux, dévoué au bien de son peuple.

UN UNIFORME COMPOSITE
L'uniforme de Napoléon tient de l'invention artistique. Il s'inspire de celui de la garde impériale mais David l'a embelli d'épaulettes de général d'infanterie, provenant d'un autre uniforme que Napoléon portait souvent le dimanche et lors des cérémonies.

UNE POSE CARACTÉRISTIQUE
La main droite de Napoléon est glissée sous le gilet, en un geste caractéristique. L'Empereur ne posait pas pour ses portraits. David l'a peint d'après des portraits précédents et des études.

■ En voyant le portrait, Napoléon aurait dit : « Vous m'avez compris, David. Je travaille la nuit au bien-être de mes sujets et le jour à leur gloire. »

LE LÉGISLATEUR
Le code Napoléon reste le fondement du droit français. L'une des plus hautes réalisations de l'empereur a été d'instaurer un système juridique et administratif efficace sur tout le Continent.

■ Curieusement, le tableau a été commandé par un aristocrate britannique : le duc d'Hamilton, qui désirait une galerie de portraits des souverains européens. Le duc avait aussi un projet politique qui le rapprochait de Napoléon : catholique et nationaliste, il rêvait d'une restauration, grâce à Napoléon, des Stuarts sur le trône d'Angleterre.

LE FAUTEUIL
L'œuvre de David est fondamental pour la création du style Empire. Ce fauteuil à l'aspect de trône, dessiné par David lui-même, en est un magnifique exemple. Il porte le monogramme N. Le bureau est du même goût austère, puissant et massif.

LES FAUX PLIS
L'inquiétude et les insomnies de Napoléon affectaient sa santé. Ses jambes enflaient. La seule allusion qui y est faite ici, ce sont les bas plissés. Comme tous les grands portraitistes, David marche sur la corde raide en combinant la réalité, l'idéalisation et la flatterie.

▼Jacques-Louis-David : *Portrait de Napoléon dans son bureau*, 1812, 204 x 124 cm, huile sur toile. National Gallery, Washington.

LE MUSÉE DU LOUVRE

Les collections royales n'ont pas été dispersées par la Révolution. Elles ont été réorganisées et ouvertes au public. Le Louvre, ancien palais royal, devint le premier musée national du monde en 1793, et David en fut le premier directeur. Napoléon s'intéressa de près au nouveau musée : il rassembla à Paris un vaste trésor d'œuvres saisies dans les pays conquis. Son rêve était de créer un lieu central d'exposition des plus grands chefs-d'œuvre de l'art européen. Après sa défaite, la plupart des pièces confisquées furent rendues. Un peu plus tard, la majorité des pays d'Europe inaugurèrent leur propre musée national, sur l'exemple du Louvre.

> « Donner une apparence, une forme parfaite à sa pensée, c'est être artiste. »
>
> DAVID

LA PLUME D'OIE
Napoléon vient de poser sa plume. De la main gauche, il tient toujours le sceau impérial avec lequel il authentifiait les documents importants.

■ David, père de quatre enfants, avait fait un mariage heureux. À trente-quatre ans, il avait épousé Charlotte Pécoul, qui en avait dix-sept et qui lui apporta une dot substantielle. Toutefois elle était royaliste et son engagement politique causa le divorce en 1794. Charlotte n'en resta pas moins fidèle à David et, lors de son emprisonnement, elle fit des démarches pour sa libération. Ils se remarièrent plus tard.

LE DÉCOR
Pour les détails du décor et les accessoires, David s'est informé auprès de connaissances et a puisé dans ses souvenirs d'audiences.

ŒUVRES CLÉS
• *Le Serment des Horaces*, 1784. Louvre, Paris.
• *La Mort de Marat*, 1793. Musées royaux des beaux-arts, Bruxelles.
• *Les Sabines*, 1799. Musée du Louvre, Paris.
• *Le Sacre de Napoléon*, 1807. Musée du Louvre, Paris.

■ Sévère et sérieux, le style néoclassique procédait, tant par ses sujets que par sa technique, d'une réaction consciente contre l'insouciance et les délicatesses du style rococo, illustré par des artistes tels que Fragonard (p. 58). Ici, David a adapté le néoclassicisme au portrait moderne. Le héros est présenté comme un modèle de vertu républicaine et les détails montrent que le peintre révère les exemples de valeur et de culture hérités de l'Empire romain.

PLUTARQUE
Le livre qui gît sous le bureau est un exemplaire des *Vies* de Plutarque, le grand ouvrage écrit à l'apogée de l'Empire romain et contenant les biographies de héros militaires tels qu'Alexandre le Grand et Jules César. David compare les exploits de Napoléon à ceux des grands conquérants de l'Antiquité.

La signature
Le document roulé est une carte de France portant le nom du peintre, écrit en latin : Lud[ovi]ci David opus, œuvre de Louis David.

FRIEDRICH (1774-1840)

Le plus connu des paysagistes allemands était un homme mélancolique et solitaire, marqué par une enfance tragique. Friedrich n'eut pas la vie facile ; il ne connut ni la notoriété ni la richesse. Né en Poméranie, sur la côte balte, il passa la plus grande partie de son existence à Dresde, à l'époque l'un des grands centres culturels de l'Europe. Son père, fabricant de chandelles, lui imposa une sévère éducation protestante. Après avoir fait ses classes à l'académie de Copenhague, très réputée, Friedrich ne sortit plus d'Allemagne. Il refusa de se rendre à Rome, dans l'idée que cela corromprait la pureté de son art. Bien qu'il ait réalisé beaucoup d'études d'après nature, ses œuvres majeures sont le fruit de l'imagination. Elles doivent l'essentiel à leur symbolisme et à leur intense spiritualité. En 1818, Friedrich épousa une personne beaucoup plus jeune que lui et se mit à fréquenter des artistes de la nouvelle génération. Sa mélancolie s'atténua pour quelque temps mais ses dernières années furent assombries par la maladie et la pauvreté. Il mourut dans l'obscurité.

Caspar David Friedrich

LES ÂGES DE LA VIE

Bien que ce tableau soit entièrement imaginaire, on y reconnaît le port de Greifswald, lieu de naissance de Friedrich. L'iconographie est symbolique. Les cinq bateaux font écho aux cinq personnages du premier plan. Ces bateaux se trouvent à différents moments de leur navigation, comme les personnages sont à différents moments de leur vie. Lorsqu'il peignit ce tableau, en 1835, Friedrich venait de subir une attaque : la mort et le sens de la vie l'obsédaient.

DES BATEAUX SYMBOLIQUES

Ces voiliers symbolisent le voyage de la vie. Celui du milieu est près de rentrer au port, tout comme Friedrich approchait de la fin de son existence. La plus haute vergue du grand bateau pourrait constituer une référence délibérée à la mort du Christ sur la croix.

■ Exprimer la foi chrétienne par un simple paysage était une nouveauté. L'un des premiers paysages à l'huile de Friedrich, la *Croix dans la montagne* (1808), fut très controversé parce qu'il était composé comme un retable. Beaucoup de critiques considérèrent une telle imagerie comme sacrilège.

LES QUATRE ÂGES DE LA VIE

Les personnages personnifient l'enfance, la jeunesse, la maturité et la vieillesse. Le vieillard qui tourne le dos au spectateur représente probablement Friedrich lui-même.

■ Friedrich connut quelque succès entre 1807 et 1812, lorsqu'il obtint le patronage du roi de Prusse. Il s'engagea politiquement, en soutenant le mouvement pangermaniste, dont il espérait l'unification de l'Allemagne.

Le drapeau suédois
Les deux enfants jouent avec un drapeau suédois. À la naissance de l'artiste, Greifswald appartenait à la Suède mais la Prusse l'annexa en 1815.

▲ **Caspar David Friedrich :**
Les Âges de la vie, v. 1835,
72,5 x 94 cm, huile sur toile.
Museum der Bildenden, Munich.

PORTRAITS DE FAMILLE
Les deux enfants qui jouent sur le rivage sont les derniers-nés de Friedrich, Gustav Adolf et Agnes. La jeune fille est son aînée, Emma, et l'homme en redingote, probablement son neveu.

ROMANTISME ET NATIONALISME

Le romantisme est devenu un support idéologique du nationalisme allemand, qui voyait notamment dans l'exaltation du paysage une réaction contre les artifices de la peinture française (p. 62). Après la chute de Napoléon en 1815, les leaders libéraux allemands furent exilés et les princes conservateurs réaffirmèrent leur pouvoir. Le rêve politique d'un État allemand unifié s'effaça, comme s'affaiblit l'intérêt pour l'œuvre de Friedrich. On ne se remit à estimer ses tableaux que tout à la fin du XIXe siècle, avec l'avènement de l'école symboliste.

Les Falaises de Rügen

Ce tableau rappelle la visite que Friedrich et sa femme firent en 1818, pendant leur voyage de noces, à cette curiosité naturelle proche de Greifswald. Cependant il faut presque certainement y voir une intention symbolique. Caroline, à gauche, habillée de rouge, représente la charité. Friedrich lui-même, à genoux, en habit bleu, incarne la foi et son frère Christian, qui scrute l'horizon, l'espoir.

Caspar David Friedrich : ▶
Les Falaises de Rügen, v. 1819,
90 x 70 cm, huile sur toile.
Collection Oskar Reinhart, Winterthur.

■ En 1816, Friedrich reçut un petit subside de l'académie de Dresde, à laquelle il fut élu. Ce soutien financier lui permit d'épouser Caroline Bonner, de vingt-deux ans plus jeune que lui.

● SYMBOLE DE MORT
La coque retournée est peut-être un symbole de mort.

● LA LUMIÈRE DE L'ESPRIT
Friedrich ne s'intéressait pas à la magnificence de la lumière solaire ni à la fraîcheur de la nature, comme les autres paysagistes de son temps (pp. 66-69). Il choisissait plutôt le clair de lune, le crépuscule et l'hiver : des moments de transformation, évoquant le calme, le silence et la contemplation.

■ Friedrich esquissait beaucoup d'après nature mais sa méthode de composition était particulière : il se tenait longuement en silence devant la toile nue, dans un atelier vide, jusqu'à ce que l'image lui apparût. Il la reproduisait ensuite sur la toile.

● L'HORIZON
Beaucoup de tableaux de Friedrich sont des marines où l'horizon représente l'infini et l'inconnu.

● DES CONTOURS LÉGERS
Les détails méticuleux des bateaux sont caractéristiques. L'artiste avait perfectionné à Copenhague son talent pour la finesse du contour, la précision du détail et l'équilibre de la composition. Ses œuvres sont toujours à petite échelle et pleines d'éléments parfois minuscules mais peints avec intensité ; cela demande au spectateur une grande attention. Friedrich essayait de transmettre une expérience dont la force était à la fois visuelle et spirituelle.

■ L'enfance de Friedrich fut marquée par la mort. Sa mère mourut quand il avait sept ans et ses deux sœurs avant qu'il en eût dix-huit. Son frère se noya en essayant de le sauver, lors d'un accident de patinage, et il n'est pas exclu que Friedrich ait cru que seule sa propre mort effacerait la douleur et la culpabilité nées de cette tragédie.

ŒUVRES CLÉS

● *La Croix dans la montagne,* 1808. Staatliche Kunstsammlungen, Dresde.

● *Moine sur le rivage,* 1810. Musée national, Berlin.

● *Paysage d'hiver,* 1811. National Gallery, Londres.

● *Le Naufrage de l'Espoir,* 1824. Kunsthalle, Hambourg.

❝ *Fermez votre œil corporel, de manière à voir votre tableau avec l'œil spirituel. Ensuite placez à la lumière du jour ce que vous avez vu dans l'obscurité, afin que cela réagisse sur le reste, de l'extérieur vers l'intérieur* ❞

FRIEDRICH

1830-1840

1830 Révolution de Juillet. Victor Hugo : *Hernani.* A. Comte, début de la publication du *Cours de philosophie positive.* Berlioz, *Symphonie fantastique.* Stendhal, *Le Rouge et le Noir.*

1832 *La Sylphide,* avènement du ballet romantique.

1833 Chopin, *Douze Études.* Michelet, *Histoire de France.*

1834 Musset, *Lorenzaccio.*

1837 Balzac, *Les Illusions perdues.*

1840 Proudhon, *Qu'est-ce que la propriété ?*

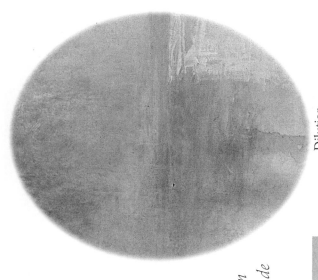

Joseph Mallord William Turner

TURNER (1755-1851)

Le plus célèbre de tous les paysagistes romantiques anglais est né dans une humble famille londonienne. Son père était barbier, et ses premiers tableaux furent exposés dans la vitrine de la boutique paternelle. Il fit ses études à la Royal Academy, et son talent précoce en fit l'un des plus jeunes membres effectifs. Il eut rapidement du succès avec ses paysages et ses marines dans le style des vieux maîtres, qui plaisait aux collectionneurs de l'aristocratie. Cependant Turner avait un tempérament inquiet : il voyageait constamment et, avec l'âge, son style changea radicalement. De plus en plus solitaire, consacrant peu de temps à autre chose que son art et ses pérégrinations, il resta célibataire. Certes, il s'intéressait beaucoup à la vie politique et sociale turbulente de son temps marqué par les guerres napoléoniennes et par la révolution industrielle, mais c'était surtout la nature qui le passionnait : la puissance des éléments déchaînés, la douceur de la campagne et la magnificence de la lumière.

LE CHÂTEAU DE NORHAM
AU LEVER DU SOLEIL

Turner a peint beaucoup de vues du château de Norham. Cette version, commencée à plus de soixante ans, est inachevée et n'a jamais été exposée. Turner a créé beaucoup d'œuvres semblables, soit à titre expérimental, soit en tant qu'études à retravailler ensuite pour les expositions.

LES RUINES DU CHÂTEAU
Le château en ruine domine la Tweed, à la frontière de l'Angleterre et de l'Écosse. Il a été témoin de nombreuses batailles entre les deux pays. Il répondait à l'amour de Turner pour l'histoire et pour le pittoresque.

DE NOUVELLES COULEURS
Les progrès techniques ont mené, pendant la vie de Turner, à la production de nouveaux pigments pour la peinture et la teinture. Turner excellait à les mélanger avec ceux qu'il connaissait déjà. D'autre part, il s'intéressait aux relations théoriques entre la couleur et les émotions.

■ Turner visita pour la première fois le château de Norham en 1797, à vingt-deux ans ; il en fit alors un relevé topographique. Il retourna le peindre en 1801-1802 et en 1831. Il aimait la nature sauvage, les cours d'eau et les montagnes.

Dilution

Turner a dilué ses pigments à la térébenthine pour pouvoir les appliquer en léger lavis, presque comme de l'aquarelle. Aquarelliste doué et fécond, il a ici transposé son expérience au domaine de la peinture à l'huile. Il n'a jamais eu peur d'expérimenter.

UNE PALETTE CLAIRE
Turner rend l'éclat du soleil matinal en usant d'une palette claire, dominée par les couleurs complémentaires que sont le bleu et le jaune ; celle-ci se renforcent mutuellement pour recréer les vibrations de la lumière.

■ La plupart des paysages de la dernière période ont un colorisme dominé par les rouges et les jaunes plutôt que par les teintes terreuses de ses premières œuvres. En 1819, il était allé pour la première fois en Italie, et la force de la lumière méditerranéenne l'avait profondément influencé ; aussi ses œuvres ultérieures sont-elles plus claires et plus intenses, avec un coup de pinceau plus souple.

UNE TOUCHE CHAUDE
La vache qui patauge dans l'eau met une touche de brun-rouge chaud, essentielle pour relever la froideur des bleus et des jaunes.

■ Le dernier style de Turner ne fit ni disciples ni émules. Plus tard, toutefois, deux jeunes peintres français l'étudièrent avec intérêt, surtout pour l'usage de la couleur et le traitement pictural : Monet (p. 84) et Matisse (p. 98).

J. M. W. Turner ▶
Le Château de Norham au lever du soleil,
1845, 91,5 x 122 cm, huile sur toile.
Tate Gallery, Londres.

UNE LUEUR D'ESPOIR
Le mât du bateau se découpe en silhouette sur une tache de lumière claire, suggérant que le soleil perce, que la tempête va se calmer et que le danger s'éloigne.

UNE COMPOSITION EN SPIRALE
Turner a souvent eu recours à une composition en spirale tourbillonnante pour exprimer la force d'une tempête. Au centre, on aperçoit ici la silhouette d'un vapeur à aubes, l'*Ariel*, battu par le vent et les vagues.

▶ J. M. W. Turner : *Tempête de neige en mer,* 1842, 91,5 x 122 cm, huile sur toile. Tate Gallery, Londres.

■ L'amour de Turner pour les navires de haute mer est né dans son enfance, alors qu'il observait sur la Tamise. Il vécut ses dernières années dans une maison d'où l'on voyait le fleuve, et où il pouvait regarder les allées et venues des bateaux.

ÉMOTION ET COULEUR
Dans ses dernières œuvres, Turner élimine de plus en plus de détails et explore les possibilités de la couleur pour exprimer le sentiment. L'esprit romantique recherchait les expériences bouleversantes, dans la vie, dans l'amour et dans la mort. Tous les arts visaient à capter des moments d'exaltation sublime.

■ Pendant la vie de Turner, il se produisit une évolution majeure avec le déclin des voiliers à coque de bois, supplantés par les vapeurs à coque d'acier, mus au charbon. La première traversée de l'Atlantique par un navire mixte, à voile et à vapeur, fut réalisée en 1819.

Peinture épaisse et palette sombre
Turner a choisi une gamme soutenue, dominée par les verts et les bruns, pour exprimer la fureur de la tempête. La matière épaisse imite l'écume de la mer déchaînée.

TEMPÊTE DE NEIGE EN MER

Ce tableau est l'un des derniers chefs-d'œuvre de Turner. Comme le Château de Norham, il reprend un thème qui avait intéressé l'artiste dès le début : les périls de la mer. On suppose que ce tableau fut réalisé à la suite d'un voyage en mer que Turner accomplit. Il suscita l'incompréhension lors de son exposition à la Royal Academy.

■ Un critique a écrit que ce tableau avait été peint avec « de l'eau de savon et du blanc de chaux » ; un autre, avec « de la crème ou du chocolat, du jaune d'œuf et de la gelée de groseilles ». D'après son ami Ruskin, Turner était très sensible à la critique ; il aurait dit : « À quoi croient-ils que ressemble la mer ? Je me le demande. Je parie qu'ils ne s'y sont jamais aventurés. »

QUASI-ABSTRACTION
Le tableau paraît presque abstrait mais, pour Turner, il représentait son expérience directe : « Je ne l'ai pas peint pour être compris, mais je désirais montrer à quoi ressemble une telle scène. J'ai dit aux matelots de me lier au mât pour l'observer. »

■ Turner était influencé par les marines des maîtres allemands, et le premier tableau qu'il exposa à la Royal Academy était un nocturne montrant des marins-pêcheurs. Son premier voyage sur le continent date de 1802 ; il avait vingt-sept ans. La traversée de la Manche fut très agitée, et l'on dit qu'il faillit se noyer. Cependant l'expérience le passionna et il la commémora par un grand tableau intitulé *La Jetée de Calais.* Ce fut sa première rupture radicale avec la tradition classique, et le tableau fut unanimement condamné comme « inachevé ».

❝ Il peint avec de la vapeur colorée. ❞

CONSTABLE

■ Turner exposa le tableau avec la mention : « Vapeur à l'entrée d'un port, faisant des signaux dans les basses eaux et avançant à la sonde. L'auteur était dans cette tempête, la nuit où l'*Ariel* quitta Harwich ».

LE TESTAMENT DE TURNER

Comme beaucoup d'artistes, Turner se tourmentait au sujet de sa réputation après sa mort. Il était très ambitieux et, comme il vendait bien, il amassa une fortune considérable. Pourtant il se préoccupait aussi du bien-être d'artistes moins fortunés que lui. Par testament, il laissa de l'argent pour que l'on construise des asiles au bénéfices des « artistes britanniques de sexe masculin dans le besoin ». Il légua quelques tableaux à la National Gallery et demanda que les autres fussent vendus. Après sa mort, son testament fut contesté et l'on parvint à un compromis aux termes duquel la nation acquerrait tous ses tableaux et sa famille recevrait tout son argent. Le projet d'asile fut purement et simplement abandonné. Pour exposer son œuvre, on ouvrit un nouveau musée en 1987, plus d'un siècle après sa disparition.

CONSTABLE (1776-1837)

John Constable

Déterminé, appliqué, doué, avec un sentiment profond et personnel de la nature, Constable a créé un art qui, de son vivant, a été largement incompris et ne lui a pas valu le succès. Né dans une famille prospère de meuniers, il a vécu toute sa vie sur un petit coin de terre. Il n'est jamais sorti d'Angleterre, et il ne l'a jamais souhaité. Il a appris son art à l'école, nouvellement créée, de la Royal Academy, à Londres, et il a étudié les paysagistes du passé, tels Rubens (p. 41), Claude Lorrain et les maîtres hollandais. Son ambition était d'introduire une nouvelle qualité dans la peinture de paysage, en captant la réalité de la lumière du jour et la fraîcheur humide de la nature en ce qu'elle a de palpable et d'odorant ; cela, non seulement pour leurs vertus propres mais parce qu'il y voyait la présence morale de Dieu. Sa façon de vivre et ses opinions sociales étaient très conservatrices : il se maria sur le tard et engendra sept enfants ; sa femme mourut à quarante ans et il en eut le cœur brisé. Dans le domaine artistique pourtant, c'était un révolutionnaire, qui osa aller où personne ne s'était encore aventuré et qui ne fit jamais de concessions.

LES NUAGES

Constable observe bien le ciel et les nuages. Il a consulté à plusieurs reprises des traités de météorologie. Il estimait que le jeu d'ombres et de lumières sur le sol devait sembler provenir de la course des nuages, et que les paysagistes hollandais, dont il avait étudié les œuvres, n'avaient pas réussi à rendre cet effet.

LE MOULIN DE FLATFORD

Dans cette œuvre de jeunesse, Constable peint un paysage dont il connaissait le moindre détail. Enfant, il avait joué là, comme le petit garçon qu'il y montre. Son père, l'un des hommes les plus riches du district, avait hérité le moulin de brique rouge. Constable espérait que ce tableau assoirait sa réputation.

LA MANŒUVRE

Constable a pris pour point de vue la pente qui conduit à un pont sur la rivière. Le cheval a été dételé et l'on pousse la péniche sous le pont, à la gaffe.

◄ **John Constable :**
Arbres à East Bergholt,, 1817,
55 x 38 cm, crayon.
Victoria and Albert Museum.

Une esquisse d'après nature

Constable travaillait lentement et faisait beaucoup d'esquisses d'après nature, qu'il utilisait pour réaliser en atelier le tableau définitif. Le Moulin de Flatford est un cas particulier : il a été travaillé sur le site aussi bien qu'en atelier.

■ Constable tomba amoureux de Maria Bicknell, la petite-fille d'un notable local qui s'opposa au mariage. Il la courtisa pendant sept ans. La mort de son père, en 1816, lui laissa une rente qui rendit le mariage enfin possible.

CHANGEMENTS DE GOÛT

En 1817, l'Angleterre était encore aristocratique et agricole. Le goût artistique cultivé restait dominé par l'idéal classique, alors que le goût populaire penchait pour le drame et les effets théâtraux. Les tableaux de Constable ne répondaient à aucune de ces deux exigences. À la fin du siècle, toutefois, le pays s'était urbanisé et industrialisé. La peinture de paysage et le réalisme avaient reçu l'approbation officielle. Quant au goût populaire, il voyait désormais dans l'œuvre de Constable l'évocation nostalgique d'une vie idyllique dont les citadins ne pouvaient plus que rêver.

▲ **John Constable :**
Le Moulin de Flatford, 1816-1817,
101,5 x 127 cm, huile sur toile.
Tate Gallery, Londres.

■ *Le Moulin de Flatford* fut peint alors que Constable préparait son mariage, dans l'espoir d'une belle carrière. Après la mort prématurée de sa femme, il devint de plus en plus mélancolique et solitaire.

Repentirs

Constable avait d'abord peint un cheval au lieu du garçon allongé, et l'on voit toujours son harnais de halage sur le sol, à droite du chemin. Les détails du tableau illustrent la vision chaleureuse de l'artiste, qui cherche à exprimer l'harmonie entre l'homme et la nature, dans un paysage agricole.

❝ *Je l'ai vu admirer l'élégance d'un arbre avec la même extase que celle qu'il pouvait éprouver en prenant un bel enfant dans ses bras.* ❞

C. R. LESLIE

■ Jusqu'à la fin du XIXᵉ siècle, le paysage a été considéré comme un sujet de second ordre, à finalité décorative mais indigne de l'attention d'un artiste sérieux. L'idée révolutionnaire de Constable fut de considérer que la lumière du jour était aussi exaltante qu'une scène de la Bible ou de l'histoire ancienne. La plupart des critiques et des connaisseurs de son temps refusèrent de le suivre.

LE PAYS DE CONSTABLE
Les ormes, gloire des haies de Constable, ne sont plus là : ils ont été tués par la graphiose dans les années soixante-dix. La vallée de la Stour, dans l'est de l'Angleterre, est devenue un lieu de pèlerinage. Le moulin de Flatford est aujourd'hui un monument national.

UNE INNOVATION TECHNIQUE
Constable anime le feuillage et l'herbe en entremêlant différents verts et en introduisant des touches de couleur complémentaire, le rouge. Cette technique impressionna Delacroix (p. 72) – qui vit *Chariot de foin* en 1824 – au point qu'il repeignit immédiatement des parties des *Massacres de Scio*.

■ Constable se consacra totalement à la peinture pendant l'été 1816, allant jusqu'à envisager de retarder son mariage pour pouvoir finir son tableau. L'œuvre fut exposée à la Royal Academy en 1817 mais ne trouva pas acquéreur.

LE FAUCHEUR
Un faucheur solitaire traverse la prairie. L'été 1816 fut particulièrement humide, ce qui gênait les moissons. L'eau dans le fossé est un effet de cette humidité.

UNE SIGNATURE ÉTRANGE
Constable a signé, au premier plan, comme s'il avait inscrit son nom dans la terre avec un bâton.

DE PETITS DÉTAILS
Les premières œuvres de Constable sont pleines de détails finement observés, comme les fleurs dans la haie, les hirondelles au pied de l'orme et les vaches dans la prairie du fond.

INGRES (1780-1867)

Né dans les dernières années de l'Ancien Régime, Ingres vécut la Révolution, la Terreur, l'ascension et la chute de Napoléon, la Restauration, la monarchie de Juillet, la IIᵉ République et le coup d'État de Napoléon III. Dans tous les cas, il demeura un pilier de la société en place, se faisant le défenseur des valeurs traditionnelles. Fils d'un miniaturiste, élève préféré de David (p. 62), il succéda à son maître en tant que champion du classicisme. Son style méticuleux reflète son caractère honnête, méthodique, obstiné et loyal. Il était cependant très sensible à la critique. Ses premières œuvres furent souvent mal reçues à Paris ; aussi Ingres se rendit-il en Italie, où il resta vingt-cinq ans, jusqu'à ce que le goût parisien se retourne en sa faveur. Il ne se fixa définitivement à Paris qu'en 1841, lorsque son inflexible détermination lui eut apporté la reconnaissance officielle à laquelle il aspirait. Il est mort riche, couvert d'honneurs et vénéré comme un dieu par ses nombreux élèves.

Jean Auguste Dominique Ingres

LA BAIGNEUSE DE VALPINÇON

La simplicité de cette œuvre est trompeuse. Les relations entre tous ses détails ont été calculés avec un soin infini. La tradition classique considérait la maîtrise du nu comme l'un des sommets du talent. En étudiant des moulages de statues antiques, les artistes recherchaient la perfection de la nature et la représentation idéale des formes humaines. La baigneuse d'Ingres tend vers une interprétation moderne de cette tradition.

DÉFORMATIONS SUBTILES
Sous l'apparente perfection naturelle de ce nu se cachent des déformations délibérées : le dos et le cou sont trop longs, les épaules tombent avec une grâce exagérée. L'artiste n'a pas cherché à créer l'illusion de la réalité mais une harmonie entre les formes et les couleurs, la structure générale et les détails. Picasso (p. 102) retiendra cet aspect du talent d'Ingres.

■ Le tableau doit son titre actuel au nom de ses premiers propriétaires. Les membres de la famille de Valpinçon étaient des amis intimes de Degas (p. 78), sur qui ce tableau exerça une forte influence.

RÊVE D'ORIENT
Comme dans de nombreuses œuvres d'Ingres, les drapés suggèrent la sensualité du harem ottoman. Bien que profondément influencé par Raphaël (p. 32) et par l'idéal classique, Ingres était fasciné par l'Orient, comme bien des artistes de sa génération.

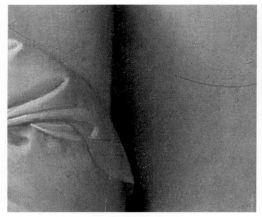

Une surface lisse
Ingres travaillait lentement et méthodiquement. Grâce à quoi il a créé des chefs-d'œuvre de retenue. Avec méticulosité, il s'ingéniait àobtenir une surface lisse et polie comme un miroir.

ALLUSIONS ÉROTIQUES
Beaucoup d'œuvres d'Ingres recèlent une charge érotique. Ici, l'œil du spectateur est attiré vers le pied qui caresse un mollet, par-dessus une babouche déchaussée, vers les fesses nichées dans les draps de lin et vers le visage dissimulé dans l'ombre.

Dominique Ingres : *La Baigneuse de Valpinçon,* ▶
1808, 164 x 97 cm, huile sur toile. Louvre, Paris.

INGRES EN ITALIE

Après avoir obtenu le prix de Rome, en 1801, Ingres se rendit en Italie où ses études intensifièrent sa passion pour les maîtres anciens. Rome était occupée par les Français et Ingres y reçut un soutien appréciable de ses compatriotes. Mais en 1814, avec l'abdication de Napoléon, ce fut le désastre : les admirateurs de l'artiste prirent la fuite. Ce fut aussi l'année où son père mourut. Il demeura cependant à Rome jusqu'en 1824. Il passa dix ans à Paris puis retourna en Italie, où il devint directeur de l'Académie française de Rome.

[Ingres] est l'expression complète d'une incomplète intelligence.

DELACROIX

● UN GESTE ARTIFICIEL
La main droite, qui prend une attitude des plus artificielles, évoque une figure trouvée sur une peinture murale des ruines romaines d'Herculanum.

ŒUVRES CLÉS

● *Jupiter et Thétis,* 1811. Musée Granet, Aix-en-Provence.

● *La Grande Odalisque,* 1814. Louvre, Paris.

● *L'Apothéose d'Homère,* 1827. Louvre, Paris.

● *Le Bain turc,* 1863.   Louvre, Paris.

■ Ingres n'aimait pas particulièrement le portrait. Il se prétendait « peintre d'histoire », genre dans lequel il a trop souvent échoué. Mais il a laissé, dans les domaines du nu et du portrait, quelques-uns des chefs d'œuvre de l'art universel.

Détails exquis
La technique laborieuse et méticuleuse d'Ingres lui permettait d'exalter les moindres détails, comme on le voit ici par la variété de couleur et de texture qu'il donne aux bijoux, aux franges et aux broderies de la robe.

MADAME MOITESSIER

Ce portrait de la femme du banquier Sigisbert Moitessier est signé par Ingres avec l'indication de son âge : soixante-seize ans. Sa réputation était désormais indiscutée et son atelier assailli de demandes de portraits comme de commandes officielles.

■ La réalisation de ce portrait a été interrompue en 1849 par la mort de la femme d'Ingres, qui laissa l'artiste désemparé et incapable de peindre pendant plusieurs mois. Il arrivait aussi que des tableaux soient abandonnés pour de longues périodes avant d'être repris.

● UNE IMPOSSIBILITÉ
Le reflet dans le miroir n'est pas possible dans la réalité. C'est une supercherie dont Ingres usait à l'occasion pour rendre le modèle sous de multiples points de vue.

■ Avant de peindre un portrait, Ingres dessinait des études de nu d'après un modèle professionnel pour bien comprendre la morphologie du corps sous le vêtement.

● UNE ROBE SOMPTUEUSE
La condition sociale et la richesse de Mᵐᵉ Moitessier sont mises en évidence par sa robe de chintz et par les bijoux qui lui ornent les poignets et le cou. Le sofa capitonné, le vase de Chine et les dorures confirment le luxe dans lequel elle vivait.

◄ **Dominique Ingres :** *Madame Moitessier,* 1856, 120 x 92 cm, huile sur toile. National Gallery, Londres.

1855-1860

1855   Exposition universelle de Paris. Courbet, *L'Atelier du peintre.*

1856   Découverte du squelette de l'homme de Neandertal. Victor Hugo, *Les Contemplations.*

1857   Flaubert : *Madame Bovary.* Baudelaire, *Les Fleurs du mal.*

1858   Fondation de la Compagnie du canal de Suez.

1859   Début du Risorgimento italien. Darwin, *L'Origine des espèces.* Marx, *Contribution à la critique de l'économie politique.* Millet, *L'Angélus.*

DELACROIX (1798-1863)

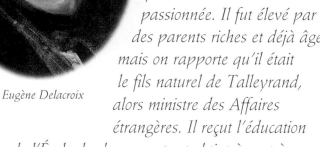

Eugène Delacroix est devenu le chef de file du mouvement romantique français en peinture. Sa vie et son tempérament ressemblent d'ailleurs à ceux d'un héros de roman. Il avait un caractère distant, plutôt aristocrate. Spirituel, charmeur, à l'aise en société, il était pourtant d'une nature passionnée. Il fut élevé par des parents riches et déjà âgés, mais on rapporte qu'il était le fils naturel de Talleyrand, alors ministre des Affaires étrangères. Il reçut l'éducation classique de l'École des beaux-arts et obtint à un très jeune âge sa première commande d'État. Toutefois ses tendances n'allaient pas vers le classicisme représenté par Ingres (p. 70). Delacroix était obsédé par la recherche de moments d'intense émotion. Il fut l'ami intime de plusieurs grands personnages, tels Baudelaire et Hugo. Malgré son énergie infatigable, sa santé était fragile. Après 1830, il se retira de la société et se consacra à de vastes commandes officielles, qui l'épuisèrent. Il mourut solitaire à Paris.

Eugène Delacroix

LA LIBERTÉ GUIDANT LE PEUPLE
Ce tableau très controversé commémore le soulèvement de Paris en juillet 1830 contre le régime ultra de Charles X.

■ Delacroix espérait beaucoup des commentaires de la critique sur son œuvre mais il fut déçu. On la considéra comme si élogieuse pour le prolétariat, et donc si dangereuse, qu'on la dissimula à la vue du public jusqu'en 1855.

Une coiffure pour chaque classe
À l'exception des royalistes de l'aristocratie, des hommes de toutes les classes soutenaient la révolution. Delacroix l'indique en variant les coiffures des insurgés : chapeaux hauts de forme, bérets, bicornes et chapeaux mous.

LE DÉMOCRATE MOURANT
Un citoyen mortellement blessé se tourne vers la Liberté. Son attitude cambrée constitue un élément essentiel de la composition pyramidale. Le peintre rappelle les couleurs du drapeau dans celles de ses vêtements.

LA MORT D'UN HÉROS
La lumière brille sur le corps inerte de l'insurgé du premier plan. L'un des frères de Delacroix combattit sous Napoléon et mourut à la bataille de Friedland.

DELACROIX ET LA COULEUR

Contrairement à Ingres (p. 70), Delacroix préférait les couleurs fortes à la finition méticuleuse, et il innova de plus en plus, à mesure qu'il explorait les qualités expressives du chromatisme. En particulier, il expérimenta la juxtaposition de couleurs complémentaires, pour augmenter leur richesse et leur vibration respectives. Son voyage au Maroc lui ouvrit les yeux à de nouvelles intensités de ton et de lumière. Ses notes sur la théorie des couleurs sont consignées dans son *Journal*.

▲ **Eugène Delacroix :**
La Liberté guidant le peuple, 1830, 330 x 425 cm, huile sur toile. Louvre, Paris.

LE CADAVRE
Au Salon, un critique ironisa en déclarant que ce cadavre avait l'air d'être là depuis huit jours.

■ Delacroix usait souvent de coups de pinceau brefs et brisés. Il antici-pait ainsi sur des artistes tels que Monet (p. 84).

Une signature affirmée
La signature est peinte à gros traits et, symboliquement, en rouge sur la barricade, à droite du gavroche.

❝ *Les vrais artistes, à mesure qu'ils avancent, augmentent de fougue, d'ardeur, de violence. L'expérience... sert à être plus libre, plus large, plus impétueux.* ❞
DELACROIX

ŒUVRES CLÉS

● *Dante et Virgile aux enfers,* 1822. Musée d'Orsay, Paris.
● *Scènes des massacres de Scio,* 1824. Louvre, Paris.
● *La Mort de Sardanapale,* 1827. Louvre, Paris.
● *Chasse au lion,* 1855. Musée des beaux-arts, Bordeaux.

LE DRAPEAU TRICOLORE
Le drapeau de la République, symbole et signe de ralliement de la révolution, supplante celui de la monarchie. Delacroix sait aussi qu'il rappellera au public les gloires de l'Empire, qu'il a connues dans sa jeunesse.

LA LIBERTÉ
La figure centrale, seins nus, tenant un fusil d'une main et le drapeau tricolore de l'autre, est une allégorie de la liberté. Elle porte le bonnet phrygien, qui symbolisait la liberté pendant la Révolution. Les femmes ont joué un rôle de premier plan dans la révolution de 1830.

NOTRE-DAME
Les tours de Notre-Dame émergent de la fumée des combats. Le drapeau tricolore flotte sur l'une d'elles. Delacroix était à Paris pendant les Trois Glorieuses, témoin attentif et passionné de l'événement.

■ Dans ce tableau, Delacroix transcende les détails réalistes par une composition puissamment abstraite : une pyramide s'élevant jusqu'à la main droite de la Liberté. Son dynamisme et l'énergie des personnages trahissent l'influence de Rubens (p. 40) et de Géricault (1791-1824). La couleur atténuée met en relief les tons vifs du drapeau.

LE JEUNE INSURGÉ
Le jeune garçon, à la droite de la Liberté, représente un héros populaire nommé Arcole, tué sur les barricades près de l'Hôtel de ville. Il préfigure le personnage de Gavroche dans *Les Misérables* de Victor Hugo.

■ Après un voyage au Maroc en 1832, Delacroix introduisit dans beaucoup de tableaux des sujets exotiques tels que les animaux sauvages et les scènes de la vie arabe. Il trouvait la présence vivante de cette civilisation plus intéressante que l'his-toire de la défunte Antiquité.

1820-1830

1820 Walter Scott, *Ivanhoé.* Lamartine, *Méditations poétiques.*
1821 Mort de Napoléon. Weber, *Freischütz.*
1822 Guerre d'indépendance de la Grèce. Heine, *Poésies.*
1823 Frédérick Lemaître triomphe sur le boulevard du Crime avec l'*Auberge des Adrets.*
1824 Sacre de Charles X. Schubert, « La Jeune Fille et la Mort ».
1829 Fourier, *Le Nouveau Monde industriel et sociétaire.*
1830 Prise d'Alger par la France.

■ Delacroix travaillait vite. Pour ses œuvres majeures, il dessina beaucoup d'es-quisses préparatoires, aussi bien pour concevoir la composition la mieux appropriée que pour se souvenir de détails et d'attitudes à inclure dans la version définitive.

UN SOLDAT TUÉ
Delacroix inclut deux soldats parmi les victimes : beaucoup d'entre eux avaient refusé de tirer sur leurs concitoyens.

Gustave Courbet

COURBET (1819-1877)

Le premier artiste anticonformiste qui ait eu du succès fut Courbet, devenu célèbre pour son opposition parfois provocatrice aux milieux qui dominaient la politique et l'art de son temps. Né à Ornans, dans la France profonde, au sein d'une famille de paysans aisés, il était exceptionnellement égocentrique et immensément ambitieux. Dépourvu de formation académique, il se fit un nom à Paris mais demeura fondamentalement attaché à son terroir et à ses « pays », sujets de bien de ses tableaux. Cela choquait fort les officiels de l'art et la bourgeoisie, qui réclamaient des sujets « corrects » : peinture d'histoire et portraits d'eux-mêmes. Courbet devint au contraire le héraut du réalisme, cette nouvelle esthétique proclamant que l'art avait à s'occuper de choses ordinaires, sans commentaire moral et sans idéalisation. Il connut ses premiers succès en 1848, l'année des révolutions, lorsque fut établie une république aux idéaux très progressistes. Celle-ci céda bientôt bientôt devant les entreprises de Louis-Napoléon Bonaparte, dont le régime contesté au cours de la guerre franco-prussienne de 1870. Courbet fut indirectement impliqué dans les événements de son temps, notamment dans la Commune de Paris.

" *Montrez-moi un ange et je vous en peindrai un.* "

COURBET

BONJOUR, MONSIEUR COURBET !
Le peintre commémore un événement de sa vie : un séjour qu'il fit à Montpellier en 1854. De grand format et très détaillé, le tableau est représentatif du réalisme selon Courbet, qui reçoit ici l'hommage de son mécène.

ALFRED BRUYAS
Le monsieur bien habillé qui accueille Courbet est Alfred Bruyas. Les deux hommes s'étaient liés d'une amitié que ce tableau consacre. Mélancolique et quelque peu rêveur, Bruyas était fils d'un riche financier. Il se mêla un peu de peinture puis dépensa son bien en collections d'art, au grand déplaisir de son père. Il rassembla une importante collection d'œuvres de Courbet.

LE VALET
À côté de Bruyas se tient son valet Calas, qui baisse humblement la tête, tandis que son chien, Breton, regarde l'artiste avec intérêt. Courbet montre que tous trois considèrent cette rencontre comme de la première importance.

■ Le Salon était l'exposition annuelle officielle qui se tenait au Louvre, où exposaient les principaux artistes reconnus et où les nouveaux venus tentaient désespérément de se faire admettre. Un jury sélectionnait les œuvres présentées. Seuls les détenteurs d'une médaille d'or pouvaient exposer d'office. Courbet avait obtenu la médaille d'or au cours du bref intermède progressiste de 1848 et il avait donc le droit d'accrochage.

UNE MATIÈRE ÉPAISSE
Conscient de sa forte personnalité, Courbet faisait rarement des dessins préliminaires mais peignait directement sur la toile en usant de couleurs puissantes et d'une matière lourde, qu'il appliquait parfois au couteau.

Le scandale
Lorsque l'œuvre fut exposée au Salon de 1854, elle fit scandale, comme le montre cette caricature contemporaine. On vit dans le sujet même du tableau une attaque directe contre l'ordre établi. On traita Courbet de peintre grossier et incompétent, pour son faire pourtant accompli mais brutal, qui évitait délibérément la finesse des détails et la technique « léchée » dont l'art officiel avait fait un dogme.

LA CHUTE DU SECOND EMPIRE

Lorsque Napoléon III, neveu de Napoléon Iᵉʳ, devint empereur en 1851, il était décidé à faire de Paris le phare de l'Europe. Au début de son règne, il connut la réussite en politique étrangère mais il s'engagea malencontreusement dans la guerre franco-prussienne, en 1870. Il dut capituler au bout de quelques mois. L'économie française eut à faire face au paiement d'une indemnité de cinq milliards de francs, exigée par les Allemands. Courbet joua un rôle important dans la Commune de Paris, instaurée au printemps 1871 en opposition à l'Assemblée nationale, siégeant à Versailles, et au traité de paix avec la Prusse. Les troupes versaillaises écrasèrent la Commune dans un bain de sang et Courbet fut emprisonné mais eut la chance d'échapper à la mort.

La diligence
La vie de Courbet était tout entière concentrée sur son atelier parisien. Le tableau montre la diligence qui l'a conduit, simple visiteur, dans le Midi de la France.

■ Si le tableau de Courbet avait été de format plus réduit, il aurait causé moins de scandale. En peignant à si grande échelle, il prétendait implicitement faire du « grand art », c'est-à-dire imposer l'idée que les scènes de la vie quotidienne devaient être prises au sérieux tout autant que les sujets conventionnellement admis dans les expositions publiques, tels une naissance de Vénus ou un portrait de Napoléon. Les Hollandais du XVIIe siècle, comme par exemple Terborch (p. 50), avaient peint de telles scènes mais leurs tableaux, très petits, étaient considérés comme essentiellement décoratifs et destinés à l'usage privé.

● COURBET
Le peintre s'est dépeint tout à son avantage. Grand, énergique et séduisant, il était fier de son profil et de sa barbe « assyrienne ».

◄ **Gustave Courbet** : *Bonjour, monsieur Courbet !*, 1854, 130 x 150 cm, huile sur toile. Musée Fabre, Montpellier.

■ Élève d'un peintre de province, Courbet avait étudié à l'Atelier suisse, une école indépendante, et passé de nombreuses heures à copier au Louvre. Les peintres qui l'ont particulièrement influencé sont le Caravage (p. 38), Hals et Rembrandt (p. 48), qui traitaient le sujet de façon directe et « réaliste ». Comme Courbet, Rembrandt et Hals sont célèbres pour leur faire expressif et libre.

● UNE TENUE INCORRECTE
Courbet se présente habillé en paysan mais il garde la tête haute et ne manifeste aucune humilité. La convention aurait voulu qu'un artiste fût correctement habillé d'un veston et montrât de la déférence pour un respectable membre de la bourgeoisie.

■ Le mode de vie et les prises de position de Courbet, qui déclara notamment qu'un artiste était libre de se fixer ses propres règles, exercèrent une grande influence sur les générations suivantes. Les impressionnistes le regardèrent comme leur maître. Il peignit aux côtés de Whistler (p. 80) à Trouville et de Monet (p. 84) à Étretat.

● UNE PLACE AU SOLEIL
Courbet se tient en plein soleil, en portant une ombre bien nette, alors que ses hôtes sont à l'ombre d'un arbre. Il équilibre à lui seul le reste de la composition. Il manifeste ainsi une forme de revendication sociale.

MANET (1832-1883)

Édouard Manet ne réalisa jamais son ambition : être officiellement reconnu comme le successeur moderne des grands maîtres du passé. Appartenant à une famille parisienne aisée, il était tout désigné pour un tel rôle. De belle apparence, charmant, vigoureux, érudit et très doué, il était toujours à l'aise en société. Il étudia auprès de l'un des maîtres les plus respectés à Paris, Thomas Couture (1815-1879), et il entendait bien se faire une réputation au Salon. Il aspirait aux faveurs des milieux en vue, culturellement et politiquement conservateurs, mais ses conceptions modernistes lui valurent des déconvenues. Pour finir, rejet constant et critiques impitoyables l'affectèrent à tel point qu'en 1871 il souffrit d'une dépression nerveuse. Cependant Manet avait noué des relations étroites avec les artistes et les écrivains d'avant-garde. Il était fasciné par la ville moderne et par l'activité commerciale, dont il bénéficiait : vie de café, voyages, sans parler des biens et des services que procure l'argent. Hélas, il en subit aussi les conséquences, puisqu'il mourut de la syphilis à cinquante-et-un ans.

Édouard Manet

OLYMPIA

Ce tableau fut exposé au Salon de Paris en 1865, deux ans après avoir été peint. Manet se demandait avec inquiétude comment l'œuvre serait reçue, car son célèbre Déjeuner sur l'herbe avait déjà fait scandale. Olympia déclencha une tempête de protestations. On n'y vit pas une interprétation moderne d'un thème accepté mais la grossière parodie des maîtres du passé, Giorgione (p. 30) et Titien (p. 34). Il était clair pour tout le monde que la femme couchée n'était pas une déesse mais une prostituée.

DES CONTOURS CERNÉS
Dans un style sans fioritures, qui convient à la franchise brutale du sujet, Manet est ici au mieux de son art. La composition est puissante, les formes nettement délimitées. Il n'y a pratiquement ni ombre ni douceur de modelé. Il n'y a pas de détails délicats mais les harmonies de couleur sont très subtiles. Certains critiques ont accusé le peintre d'incompétence, par comparaison avec le style d'Ingres (p. 70) ; on a jugé le tableau aussi primaire qu'une carte à jouer.

Édouard Manet : *Olympia*, 1863, ▶
130 x 190 cm, huile sur toile. Musée d'Orsay, Paris.

L'AVANT-GARDE

Manet soutenait avec vigueur les jeunes peintres impressionnistes (p. 84) mais il ne rallia jamais personnellement leur cause. Par exemple, il s'abstint de participer à leur première exposition, en 1874, qui fit grand vacarme. Contrairement à l'avant-garde impressionniste, il continuait à croire au tableau d'atelier, avec ses thèmes taditionnels, ses dessins préparatoires et ses esquisses, et il mettait soigneusement au point ses grandes compositions. Toutefois, vers 1875, Manet se mit à peindre d'après nature, en plein air, sous l'influence des idées impressionnistes (p. 86).

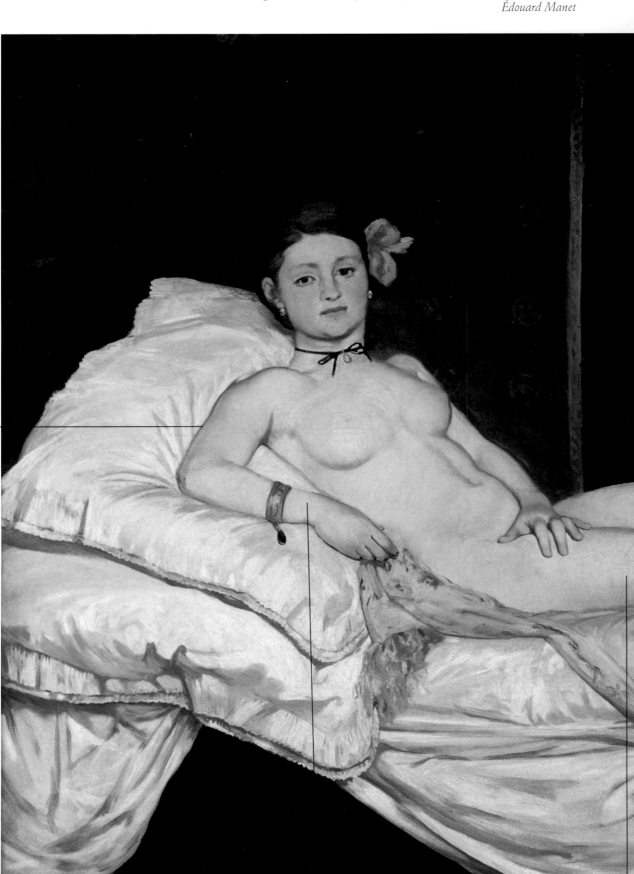

VICTORINE MEURENT
Manet demandait souvent à des proches et à des amis de poser pour lui. Ici cependant, il a eu recours à un modèle professionnel, Victorine Meurent, alors âgée de trente ans. Elle resta son modèle de prédilection.

UN SUJET TRADITIONNEL
Le nu couché est l'un des sujets les plus pratiqués par les peintres qui se réfèrent à la tradition. Manet savait que le public cultivé comprendrait son allusion à la *Vénus* de Giorgione (p. 30).

Celui-là sera le peintre, le vrai peintre, qui saura arracher à la vie actuelle son côté épique.

BAUDELAIRE

■ Manet connut enfin le succès après 1871. Il fut gratifié de bonnes critiques au Salon et le marchand Durand-Ruel lui acheta trente toiles. Peu avant sa mort, il reçut la légion d'honneur.

DISTANTE
La servante apporte des fleurs, offertes par un admirateur, mais Olympia ne semble pas s'apercevoir de sa présence. Elle regarde fixement le spectateur, distante, comme privée de tout sentiment. Le chat fait ironiquement allusion à l'animal familier de la *Vénus d'Urbin* peinte par Titien.

■ Manet considérait *Olympia* comme sa meilleure œuvre, et il ne la vendit jamais. À sa mort, elle fut mise aux enchères, sans trouver acquéreur. En 1888, Sargent (p. 92) apprit que la veuve de Manet s'apprêtait à la vendre à un collectionneur américain, et il proposa à Monet d'organiser une souscription publique dans le but de donner le tableau au Louvre.

UN DÉTAIL QUI EST UNE NATURE MORTE
Manet était un maître de la nature morte. Il en introduisait souvent dans ses tableaux, parfois sans souci de cohérence. Ici, le bouquet suggère symboliquement la nature des plaisirs dispensés par Olympia.

Portrait de Zola
Émile Zola (1840-1902) était l'ami et le défenseur de Manet. Son roman Nana *décrit l'ascension et la chute d'une jeune femme pareille à Olympia. Dans le cadre, au-dessus de l'écrivain, il y a trois images caractéristiques :* Olympia, *une estampe japonaise et le* Bacchus *de Velázquez.*

▲ **Édouard Manet :** *Portrait de Zola*, 1867-68, 146.5 x 114 cm, huile sur toile. Musée d'Orsay, Paris

■ À dix-huit ans, Manet entama une longue relation avec son professeur de piano, Suzanne Leenhoff, qui lui donna un fils en 1852. En public, ils prétendirent que l'enfant était le frère de Suzanne et le filleul de Manet. Celui-ci épousa Suzanne en 1863, après que la mort de son père lui eut laissé un héritage.

Une femme moderne
Le personnage de Manet n'est pas la déesse Vénus mais une jeune femme rompant avec l'idéal conventionnel de la peinture. Nue, elle porte un cabochon au cou, des perles aux oreilles et une orchidée dans les cheveux, éléments colorés qui réveillent la teinte volontairement blafarde du corps.

LA COULEUR NOIRE
Le noir est l'un des pigments les plus difficiles à exploiter pour un peintre, parce qu'il risque d'étouffer et de tuer les autres couleurs et nuances. Manet est un grand maître du noir : il en use pour enrichir les tonalités par un contraste brutal.

■ Manet voyageait beaucoup et, après l'échec d'*Olympia*, il partit pour l'Espagne. Comme beaucoup d'artistes de sa génération, il était fasciné par Velázquez (p. 46) et Goya (p. 60) qui, tous deux, ont traité le sujet du nu couché.

1865-1870

1865	Wagner, *Tristan et Isolde*. L. Carroll, *Alice au pays des merveilles*.
1866	Dostoïevski, *Crime et Châtiment*.
1867	Marx, *Le Capital*. Ibsen, *Peer Gynt*. Moussorgski, *Une nuit sur le mont Chauve*. Marche de Garibaldi sur Rome.
1868	Brahms, *Requiem allemand*.
1869	Percement du canal de Suez. Carpeaux, *La Danse*. Lautréamont, *Les Chants de Maldoror*. Flaubert, *L'Éducation sentimentale*.
1870	Chute du Second Empire.

WHISTLER (1834-1903)

Pionnier de la modernité en art et dans la vie, Whistler fut un peintre d'inspiration internationale. Né aux États-Unis, il a passé le plus clair de son enfance à Saint-Pétersbourg et à Moscou, où son père, ingénieur, était employé à la construction d'un chemin de fer. À vingt-et-un ans, après un passage à l'académie militaire de West Point, il se rendit à Paris pour entamer une carrière de peintre, et il entra en contact avec des artistes d'avant-garde comme Courbet (p. 74), Manet (p. 76) et Degas (p. 78). Ce fut toutefois à Londres qu'il se fixa. Cultivant le genre dandy, il fréquentait les milieux à la mode. Ami proche d'Oscar Wilde, il ne reculait pas devant la polémique. La plus fameuse est celle qui le mena, en 1877, à un procès en diffamation contre le grand critique d'art Ruskin (1819-1900). Whistler le gagna mais en sortit ruiné. Il se retira à Venise, où il se refit une réputation et une santé financière grâce à une brillante série d'eaux-fortes. Dans les années quatre-vingt-dix, il retourna à Londres avec tous les honneurs et y peignit des portraits qui lui valurent un beau succès.

James Abbott McNeill Whistler

■ Pendant son procès en diffamation, Whistler définit ainsi ses objectifs artistiques : « J'ai peut-être voulu marquer dans mon œuvre un intérêt d'ordre purement artistique... C'est tout d'abord une disposition de lignes, de formes et de couleurs, et j'en utilise le moindre détail capable de mener à un résultat symétrique. »

NOCTURNE EN NOIR ET OR

Ce petit tableau représentant un feu d'artifice dans le ciel nocturne provoqua la colère de Ruskin et fut cause d'un procès.

■ Le tableau fut exposé en 1877 à la galerie Grosvenor. Ruskin le vit et écrivit un article virulent, où il le jugeait insultant, comme « un pot de peinture jeté à la face du public ». Whistler l'attaqua en justice et le procès qui s'ensuivit fit sensation. Le tribunal admit que Whistler avait été diffamé mais ne lui accorda que le dédommagement symbolique d'un farthing (la plus petite pièce de monnaie ayant cours en Angleterre). Obligé de payer ses dépens, Whistler était ruiné.

Caricature

Le journal satirique anglais Punch publia cette caricature en décembre 1878, après le procès Whistler-Ruskin. On les voit tous deux devant le juge, sous la légende : « Méchant critique, qui uses d'un langage inconvenant ! Peintre stupide, qui lui fais un procès pour cela ! » Les serpents représentent les frais de justice.

■ John Ruskin, le plus influent des critiques anglais du XIXᵉ siècle, avait défendu Turner (p. 66) et les préraphaélites. Il croyait fermement aux vertus d'un métier minutieux et soutenu, ainsi qu'aux finalités morales et didactiques de l'art. Le tableau de Whistler représentait donc tout ce qu'il détestait. Le fait que le peintre ait gagné son procès montre que les conceptions artistiques de Ruskin étaient passées de mode et qu'une esthétique nouvelle commençait à les remplacer.

LE COUP DE PINCEAU
Le coup de pinceau bien enlevé et les subtiles harmonies de couleurs évoquent l'esthétique impressionniste.

L'INFLUENCE JAPONAISE
Le sujet, ainsi que la composition sans profondeur ni tentative de créer l'illusion de l'espace, sont des idées que Whistler a empruntées à l'art japonais.

1875-1880

1875 Constitution de la IIIe République.
Bizet, *Carmen*.

1876 Victoria impératrice des Indes. Bell, téléphone. Renoir, *Le Moulin de la Galette*. Moreau, *L'Apparition*.

1877 Rodin, *L'Âge d'airain*. Zola, *L'Assommoir*. Edison, phonographe.

1878 Sisley, *La Neige à Louveciennes*.

1880 Jules Guesde fonde le parti ouvrier français. Dostoïevski, *Les Frères Karamazov*.

■ En 1890, Whistler publia un livre intitulé *L'Art éminent de se faire des ennemis*. C'est une anthologie de ses écrits sur l'art et un spirituel compte rendu de son procès, où il se dépeint comme férocement intelligent et imbattable. Le titre résume bien son attitude désinvolte envers les autres, et peut avoir bien son questions fréquentes que-relles avec ses propres amis et clients.

CALLIGRAPHIE ORIENTALE
La signature habituelle de Whistler évoque les sceaux de collectionneurs qu'on trouve dans l'art chinois. Il était passionné de porcelaines orientales bleu et blanc, qu'il a collectionnées très tôt.

LA CHAMBRE DU PAON

En 1876, on commande à Whistler la réalisation d'un ensemble décoratif pour une pièce qui doit abriter l'une de ses grandes œuvres : *La Princesse du pays de la porcelaine*. Cette pièce se trouve au 49, Princes Gate, à Londres, où l'artiste a vécu l'été 1876 en travaillant à son projet avec une intensité grandissante. De style japonais, le décor a pour motifs des paons, peints avec une liberté extraordinaire. La pièce – elle-même une œuvre d'art – a été intitulée par Whistler, dans un prospectus distribué au cours d'une conférence de presse, *Harmonie en bleu et or : la chambre du paon*. Bien entendu, Whistler se disputa avec le propriétaire au sujet des coûts et des conditions de la commande, et l'entrée de la maison lui fut interdite.

■ Whistler n'a jamais peint avec facilité et il se plaignait de son manque de formation. À bien des égards, il a déployé ses meilleurs dons dans la gravure, une technique qu'il avait apprise dans sa jeunesse, lorsqu'il était cartographe. Cela lui a permis de créer des eaux-fortes d'une qualité exceptionnelle.

LES SPECTATEURS
Au premier plan, Whistler montre un spectateur et en suggère vaguement d'autres. Malgré ses coups de pinceau rapides, il travaillait lentement, avec beaucoup de modifications, en se fiant à sa mémoire et à sa sensibilité. Plutôt que de superposer d'épaisses couches de peinture, il exécutait ses repentirs par effacement, en ne laissant pour finir qu'une mince pellicule transparente.

66 *L'art doit exister par lui-même et en appeler au sens artistique de l'œil ou de l'oreille sans se confondre avec des émotions qui lui sont totalement étrangères, comme la dévotion, la pitié, l'amour, le patriotisme et le goût.* 99

WHISTLER

ŒUVRES CLÉS

• *Au piano*, 1858-1859. Taft Museum, Cincinnati (Ohio).

• *La Princesse du pays de la porcelaine*, 1863. Freer Gallery of Art, Washington.

• *Gris et Noir : la Mère de l'artiste*, 1870. Louvre, Paris.

■ Whistler n'avait guère de penchant pour la carrière militaire. À sa sortie de West Point, il travailla au service cartographique de Washington. Il démissionna pour se consacrer à la peinture.

La signature
Bien que ce ne soit pas le cas ici, Whistler a souvent adapté sa signature de manière à ce qu'elle prenne la forme d'un papillon, en une sorte d'identification ironique.

■ Le titre complet du tableau est : *Nocturne en noir et or : la fusée qui retombe*. Suggérée par le poète, romancier et critique d'art Théophile Gautier (1811-1872), l'idée d'utiliser pour des tableaux des titres musicaux convenait parfaitement aux intentions de Whistler. Celui-ci produisit beaucoup de « nocturnes » dans les années soixante-dix. Ils représentent le sommet de son art.

L'INSPIRATION
Le tableau s'inspire d'un spectacle pyrotechnique présenté aux jardins de Cremorne, à Battersea. Les silhouettes d'arbres et le lac sont à peine visibles dans la nuit.

UNE PEINTURE DE LUMIÈRE
Le tableau exprime l'intensité et la beauté de l'instant fugace où une fusée explose dans le ciel en éclairant la nuit d'une pluie d'étincelles. L'idée selon laquelle la peinture frappe surtout par la disposition des couleurs et des formes, et peut avoir le même effet que la musique, a exercé une forte influence sur l'art du XXe siècle (p. 98).

James Whistler ▶
Nocturne en noir et or : la fusée qui retombe, 1874, 60 x 47 cm, huile sur toile. Institute of Arts, Detroit.

CÉZANNE (1839-1906)

Paul Cézanne doutait constamment de son talent. Il vécut ses dernières années en reclus, reconnu toutefois comme un maître par les artistes novateurs. Son père, ambitieux homme d'affaires d'Aix-en-Provence, le terrorisait et jeta une ombre sur toute sa vie. Solitaire et mélancolique, Cézanne fut porté par l'acuité de sa sensibilité artistique. Son père, ayant dû admettre qu'il ne réussirait jamais dans le commerce, accepta avec réticence de le laisser partir pour Paris afin d'y étudier la peinture, et lui alloua une petite pension. Cézanne n'eut donc jamais besoin de vendre un tableau pour vivre. Privilège rare. Ses premiers essais, trop frustes, lui interdirent l'entrée à l'École des beaux-arts. Néanmoins, le long combat qu'il livra pour trouver un style cohérent lui permit de triompher des difficultés. Son œuvre a exercé une influence décisive sur l'art du XXe siècle, notamment grâce à sa première exposition personnelle, en 1895, et à la rétrospective de 1907. L'une et l'autre eurent un grand retentissement chez les artistes d'avant-garde tels que Matisse (p. 98) et Picasso (p. 102).

Paul Cézanne

❝ Il est notre père à tous. ❞
Picasso

LA MONTAGNE SAINTE-VICTOIRE
Du début des années quatre-vingt à sa mort, Cézanne a peint souvent cette montagne proche d'Aix-en-Provence. Dans tous ces tableaux, il combine une remarquable fidélité à ce qu'il voit avec une profonde conscience de ses réactions émotionnelles. C'est là une qualité qu'il n'a atteinte qu'après beaucoup de travail et au prix d'une discipline rigide.

UN PAYSAGE ÉMOTIONNEL
Cézanne n'essaie pas d'imiter superficiellement un paysage. Il reconstruit picturalement la nature tout en cherchant à traduire sa « petite sensation ».

UNE VISION DISCIPLINÉE
Dans le cadre fixe de l'arbre et autour de certains points forts tels que les bâtiments, Cézanne tient compte des distances et des angles, chaque repère correspondant à un rythme fort de la surface.

■ Au cœur de la peinture de Cézanne, il y a la volonté de prolonger la tradition classique française, hautement disciplinée. « Faire du Poussin d'après nature », telle était son ambition.

Paul Cézanne ▲
La Montagne Sainte-Victoire, 1885-1887, 66 x 89 cm, huile sur toile.
Courtauld Institute, Londres.

Une émotion sous-jacente
Cézanne ne s'est jamais permis de devenir un œil impassible. Chez lui, la couleur modelée avec sensibilité et le coup de pinceau délicat révèlent une réaction émotive forte, bien que contrôlée, devant le sujet.

■ Cézanne n'a pas trouvé de nouveaux sujets : ses thèmes habituels sont des paysages, des portraits, des natures mortes et des nus. Mais ils sont choisis en fonction des problèmes picturaux que le peintre se propose de résoudre.

LE MOUVEMENT
Les branches du pin semblent frémir inlassablement et suivre le profil de la montagne. Cézanne abandonne ici le naturalisme pour la construction plastique.

■ Cézanne mettait souvent des semaines, voire des mois à achever ses paysages. La difficulté tenait à ce que le peintre cherchait à retenir ce qu'il y avait d'intemporel dans un modèle en mutation permanente.

UNE SIGNATURE RARE
Cette œuvre a été tellement admirée par un jeune poète, Joachim Gasquet, que Cézanne la lui a donnée, en y apposant sa signature par amitié.

1890-1895

1891 Toulouse-Lautrec, *Le Bal du Moulin-Rouge*. Début des fouilles de Delphes. Mahler, *Symphonie n° 1*. Wilde, *Le Portrait de Dorian Gray*. Panhard et Levassor, 1re automobile à moteur à essence.

1893 Munch, *Le Cri*. Dvořák, *Symphonie du Nouveau Monde*.

1894 Debussy, *Prélude à l'après-midi d'un faune*. Le douanier Rousseau, *La Guerre*.

1895 Cinématographe des frères Lumière, *L'Arroseur arrosé*. Wells, *La Machine à explorer le temps*. Première Biennale de Venise.

▼ **Paul Cézanne :** *Une Moderne Olympia*, v. 1873, 46 x 55,5 cm, huile sur toile. Musée d'Orsay, Paris.

AUTOPORTRAIT

Le personnage assis est incontestablement Cézanne, chauve et barbu. Sa perception de lui-même était empreinte de mélancolie : bien qu'encore jeune, il se décrit comme d'âge mûr.

■ Les dernières années de Cézanne sont marquées par la solitude et la maladie. Il recevait cependant, parmi de rares visites de fidèles, celle du marchand Antoine Vollard, qui avait décelé sa grandeur et qui organisa l'exposition de 1895. À l'occasion, de jeunes artistes, qui avaient entendu parler de son travail, venaient le voir. Atteint du diabète, il mourut de pneumonie après une averse, en travaillant « sur le motif ».

ŒUVRES CLÉS

- *Vue d'Auvers*, v. 1874. Art Institute, Chicago.
- *Nature morte*, 1883-1887. Fogg Art Museum, Massachusetts.
- *Les Joueurs de cartes*, 1892. Musée d'Orsay, Paris.
- *Rochers à Fontainebleau*, 1898. Metropolitan Museum, New York.
- *Baigneuses*, v. 1900-1906. National Galley, Londres.

UNE MODERNE OLYMPIA

Cézanne avait trente-trois ans lorsqu'il interpréta de façon libre et désinvolte l'Olympia de Manet (p. 76). Il se représente lui-même, assis dans la maison de tolérance où Olympia se fait dénuder devant ses yeux. Cézanne rencontra Manet, mais il n'aimait guère son style de citadin élégant. Ce tableau est véritablement une parodie.

■ À Paris, Cézanne menait la vie de bohème. Il fuyait la société et se négligeait. Il étudiait à l'Académie Suisse, une école indépendante, et fréquentait les cafés de rapins, où il rencontra notamment Monet (p. 84), Sisley et Renoir.

UN STYLE LIBRE

Bien que Cézanne ait pensé à ce sujet pendant des années, la facture proche de l'esquisse et les couleurs claires et simples indiquent que le tableau a été exécuté rapidement. Ses premières œuvres révèlent une sensualité exubérante et un impétuosité que le peintre assagira ensuite.

LES COURBES

Cézanne a ajouté au sujet de Manet une nature morte sur une table rose, pleine de courbes, qui semble participer à l'agitation générale des formes.

■ Les relations de Cézanne avec autrui étaient difficiles. Toutefois, en 1870, il rencontra Hortense Ficquet, dont il eut en 1872 un fils, Paul. Ce fut une relation stable et heureuse mais qu'il dissimula à son père : il n'épousa Hortense qu'à la mort de celui-ci, en 1886.

CÉZANNE ET PISSARRO

Cézanne présenta sa *Moderne Olympia* à la première exposition impressionniste de 1874 (p. 86). Son style évolua considérablement par la suite. Sous l'influence de Camille Pissarro (1830-1903), qu'il rencontra pour la première fois en 1861, il apprit à se discipliner en peignant en plein air des paysages soigneusement composés, dans la manière géométrisante qui caractérise son « impressionnisme ». En effet, Cézanne s'intéressait plus à la structure profonde des choses qu'aux effets de lumière fugaces. Il passa de longues heures au Louvre, à la recherche de « quelque chose de solide et de durable, comme l'art des musées ».

■ Cézanne fut mis en internat à Aix-en-Provence. Il s'y lia d'amitié avec Émile Zola qui, plus tard, le soutint financièrement et spirituellement. En 1886 toutefois, Zola publia *L'Œuvre* et, le personnage principal du roman étant un peintre raté, Cézanne prit l'allusion pour lui : il n'adressa plus la parole à Zola.

Nature morte

Les objets posés sur la table sont traités avec autant d'attention que les figures. La nature morte est un genre de prédilection pour Cézanne.

MONET (1840-1926)

Claude Monet

Claude Monet est l'un des fondateurs de l'impressionnisme. Comme les autres impressionnistes, il développa une manière personnelle de rendre la forme par la couleur. Fils d'un riche négociant du Havre, il s'installa à Paris à dix-neuf ans mais rejeta l'enseignement académique de l'École des beaux-arts. Il choisit la formation plus libre d'une école privée, l'Académie Suisse que fréquentaient d'ailleurs d'autres artistes d'avant-garde.

Ses débuts furent difficiles et pauvres : sa famille lui avait coupé les vivres et sa première femme, Camille, mourut tragiquement en 1879, lui laissant deux enfants. En 1883, il s'installa à Giverny, dans l'Eure, avec Alice Hoschedé, qui avait quitté son mari pour lui. Peu à peu, ses œuvres avaient gagné la notoriété et une cote : en 1890, il était assez riche pour acheter sa propriété devenue célèbre et pour y employer six jardiniers. Il y passa ses dernières années en reclus, éprouvé par la mort d'Alice et de son fils aîné, ainsi que par la baisse rapide de sa vue.

> « Mon jardin est mon plus beau chef-d'œuvre. »
> MONET

■ Alice Hoschedé était la femme d'un propriétaire failli de grand magasin. Après la mort de Camille, elle forma avec Monet et leurs huit enfants un ménage peu conventionnel. Ils ne se marièrent qu'en 1892, à la mort d'Ernest Hoschedé. Monet était un tyran domestique qui exigeait une attention constante et un silence absolu. Si son travail n'avançait pas à son gré, il se fâchait.

LE SENTIER DES ROSIERS, GIVERNY

Le jardin de Monet à Giverny, création qui a occupé la moitié de sa vie, finit par devenir le sujet principal de ses tableaux. Celui-ci, qui représente un sentier sous un grand berceau de rosiers, date de 1920, alors que Monet avait quatre-vingts ans. L'artiste continuait à peindre avec une extraordinaire liberté, malgré sa vue défaillante.

L'influence japonaise

Manet participa avec passion à l'engouement pour l'art japonais (p. 80), qui correspondait à son idéal de raffinement dans la simplicité. Les murs de sa maison étaient décorés d'estampes et l'un des éléments les plus caractéristiques de son jardin était un pont à la japonaise.

ŒUVRES CLÉS

• *Le Déjeuner sur l'herbe,* 1866. Musée d'Orsay, Paris.

• *Impression, soleil levant,* 1872. Musée Marmottan, Paris.

• *Nymphéas,* 1899. National Gallery, Londres.

• *Le Parlement de Londres,* 1904. Musée d'Orsay, Paris.

UNE PEINTURE D'INSTINCT
Il est commun d'affirmer que la pâte épaisse et les étranges combinaisons de couleurs résultent partiellement de la mauvaise vue de Monet et expriment son combat face au risque de cécité. Le sujet lui était très familier, tout comme lui était, bien entendu, le faire pictural. Il possédait aussi une grande mémoire des couleurs. En fait, la fusion des formes et des couleurs est une constante de la manière du peintre.

Claude Monet ▶
Le Sentier des rosiers, v. 1920, 81 x 100 cm, huile sur toile. Musée Marmottan, Paris.

Contrastes de couleurs
Monet avait une solide connaissance des théories de la couleur, qu'il appliquait à tous ses travaux. Dans ce tableau, par exemple, il use délibérément de l'opposition entre couleurs primaires, tels le bleu et le jaune, pour produire une vibration optique. De même, il exploite l'opposition entre couleurs froides et couleurs chaudes.

PEINTURE D'EXTÉRIEUR

Dans ses premières œuvres, Monet se montre un adepte de la peinture en plein air. Il s'agissait en l'occurrence de commencer et de terminer un tableau à l'extérieur, devant le sujet. Lorsque la lumière changeait, il fallait modifier le tableau ou en commencer un autre. Son jardin de Giverny lui procurait un environnement où il pouvait peindre dans des conditions mieux maîtrisées et plus confortables, comme s'il avait été conçu en fonction des impératifs de la peinture.

■ Monet fut frappé en 1908 d'une double cataracte. En 1922, il dut complètement arrêter de travailler. L'année suivante, il subit une opération qui lui rendit partiellement la vue, bien que la perception fût voilée et les couleurs altérées. La cécité devint complète peu avant sa mort.

TEXTURES
Monet s'intéressa toute sa vie à la lumière et au défi que constitue le rendu pictural des effets de lumière. À partir d'un certain moment, il se passionna aussi, et de plus en plus, pour les textures. Il rechercha différents moyens de rapprocher des textures naturelles celles que produit la peinture à l'huile. Ici, l'attention se concentre sur la lumière du soleil, tamisée par le jeu du feuillage.

■ Clemenceau (1841-1929), ami de Monet, était décidé à offrir à la nation une série d'œuvres de l'artiste. Premier Ministre pendant la guerre, il lui proposa d'entreprendre un ouvrage qui servirait de mémorial aux victimes des combats et qui prendrait place à l'Orangerie des Tuileries. Le choix se porta finalement sur *Les Nymphéas* que l'on installa à l'Orangerie des Tuileries après la donation de 1922.

LE BERCEAU DE ROSIERS
Le grand berceau en treillage, qui se trouve près de la maison de Monet à Giverny, forme l'un des plus grands attraits de cette partie du jardin. Monet fit construire trois ateliers sur son terrain mais cette œuvre a probablement été peinte entièrement à l'extérieur, devant le treillage.

■ Le jardin de Giverny est d'un caractère assez traditionnel. Le thème général en est le jeu des couleurs et des textures. L'étang des nymphéas, conçu pour mettre en valeur des formes courbes, contraste délibérément avec le reste. Moins classique, il est bordé de plantes choisies pour leur feuillage tendre et leurs nuances subtiles. La lumière qui se reflète dans l'eau est plus douce. Du temps de Monet, une ligne de chemin de fer séparait les deux parties du jardin.

1915-1920

1915   Les Allemands utilisent les gaz asphyxiants à Ypres.

1916   Batailles de Verdun et de la Somme. Le jazz se répand aux États-Unis. De Saussure, *Cours de linguistique générale*. Kafka, *La Métamorphose*. Einstein, théorie de la relativité générale.

1917   Révolution russe. Freud, *Introduction à la psychanalyse*. Valéry, *La Jeune Parque*. Satie, *Parade*.

1918   Armistice. Tzara, *Manifeste dada*.

1919   Fondation du Bauhaus. Conférence de la paix, traité de Versailles et création de la Société des Nations.

BERTHE MORISOT (1841-1895)

Berthe Morisot

Berthe Morisot est née à une époque où, en France, une femme ne pouvait que difficilement devenir une artiste professionnelle. L'École des beaux-arts de Paris n'admit de jeunes filles que deux ans après sa mort. Cependant la chance lui sourit et elle put épanouir son talent. Elle était la fille cadette d'une famille de la bourgeoisie riche et son père, fonctionnaire, avait étudié dans sa jeunesse l'architecture et la peinture. Il recevait souvent des artistes connus et, en 1860, Berthe fut présentée à Corot (1796-1875), l'un des peintres les plus cotés du moment. Il la prit sous sa protection et lui donna, ainsi qu'à sa sœur Edma (elle aussi douée pour la peinture), un enseignement pratique. En 1868, Berthe rencontra Manet (p. 76), qui influença grandement son œuvre et sa vie ; plus tard, elle épousa son frère. Elle trouva sa famille spirituelle et artistique dans le cercle impressionniste, dont elle devint l'une des figures dominantes. Elle contribua à l'organisation des premières expositions impressionnistes et à la rencontre de peintres, d'écrivains et de musiciens d'avant-garde. Elle partageait leur intérêt pour les sujets modernes, sans grandiloquence, ainsi que pour un style rapide et délié, marqué par une extrême sensibilité visuelle.

EUGÈNE MANET ET SA FILLE AU JARDIN, À BOUGIVAL

L'œuvre de Berthe Morisot constitue une chronique autobiographique. Dans cette scène de famille, la fille de l'artiste joue avec un modèle réduit, sous le regard de son père. Le ménage s'était installé à la fin du printemps 1881 dans une maison louée à Bougival, qui était alors la banlieue chic des bords de Seine.

■ Berthe Morisot et Eugène Manet se connurent au cours de vacances en Normandie, en 1873, et ils s'épousèrent l'année suivante. C'était un mariage fondé sur le respect mutuel et les convenances plutôt que sur une grande passion mais il procura à Berthe la liberté de peindre. Eugène Manet mourut en 1892.

■ Berthe Morisot avait rencontré Édouard Manet en 1867. Un de leurs amis, le peintre Henri Fantin-Latour, les avait présentés l'un à l'autre au Louvre, où elle copiait un tableau de Rubens (p. 40). Les familles Manet et Morisot, devenues intimes, se rendaient régulièrement visite. Berthe figure sur plusieurs tableaux de Manet, notamment sur le célèbre *Au balcon* de 1868.

EUGÈNE MANET
Berthe Morisot était la belle-sœur d'Édouard Manet (p. 76). On sait relativement peu de chose sur Eugène, son mari. Il écrivait et peignait en amateur. Vers la fin de sa vie, il occupa plusieurs postes gouvernementaux.

LA TOUCHE IMPRESSIONNISTE
La manière de Berthe Morisot met en évidence le rôle majeur de la touche colorée qui rend les effets de matière et d'éclairage tout en participant à la construction des volumes.

1870-1875

1870	Guerre franco-prussienne. Siège de Paris.
1871	Commune de Paris. Verdi, *Aïda*.
1872	Congrès de la Iʳᵉ Internationale à La Haye.
1873	Rimbaud, *Une saison en enfer*. 1ʳᵉˢ machines à écrire.
1874	Johann Strauss II, *La Chauve-souris*. Barbey d'Aurevilly, *Les Diaboliques*. Monet, *Impression soleil levant*.
1875	Inauguration de l'Opéra de Paris au palais Garnier. Bizet, *Carmen*. Andersen, *Contes*. Mark Twain, *Tom Sawyer*.

Berthe Morisot ▶
Eugène Manet et sa fille au jardin, à Bougival, 1881, 73 x 92 cm, huile sur toile. Collection particulière.

Un style délié
La technique de l'esquisse marque la manière de Berthe Morisot. Parmi tous les impressionnistes, c'est elle qui a adhéré le plus étroitement à un style libre et spontané, en accord avec son choix de sujets familiers. On trouve la même qualité dans ses aquarelles et ses dessins au crayon.

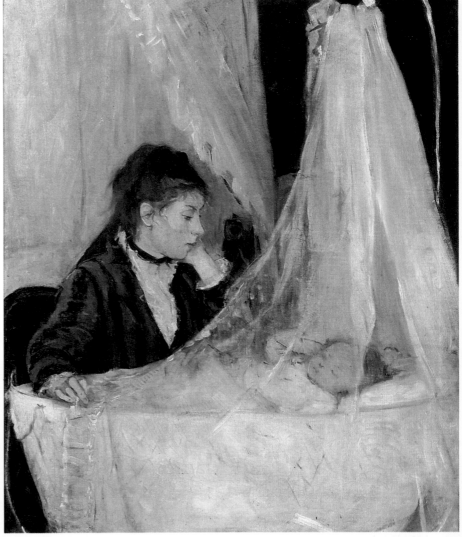

La sœur de Berthe
Ce tableau dépeint avec tendresse Edma, sœur cadette de Berthe, devant le berceau de son deuxième enfant, né en 1871. Edma renonça à une carrière prometteuse de peintre pour s'occuper de sa famille. Elle avait épousé en 1869 un officier de marine.

▲ **Berthe Morisot :**
Le Berceau, 1872,
56 x 46 cm, huile sur toile.
Musée d'Orsay, Paris.

> ❝ ... *La singularité de Berthe Morisot fut... de vivre sa peinture et de peindre sa vie, comme si ce lui fût une fonction naturelle et nécessaire, liée à son régime vital, que cet échange d'observation contre action, de volonté créatrice contre lumière.* ❞

PAUL VALÉRY

UN MIROITEMENT DE LUMIÈRE
Comme beaucoup d'œuvres impressionnsites, ce tableau a été peint à l'extérieur. L'élégant miroitement lumineux qui enveloppe la scène montre l'influence de Renoir.

■ **Berthe Morisot connaissait Renoir et ils avaient des centres d'intérêt communs** : par exemple, ils étaient tous deux influencés par les peintres français du XVIIIᵉ siècle, tel Fragonard (p. 58). Renoir passa l'été 1881 à Bougival, en travaillant à son célèbre *Déjeuner des canotiers*.

LA PETITE FILLE
Julie, seul enfant de l'artiste, est née le 14 novembre 1878. Elle figure sur de nombreux tableaux de sa mère. Mère et fille ont aussi posé ensemble pour Renoir, en 1894.

ŒUVRES CLÉS

• *Le Port de Lorient*, 1869. National Gallery, Washington.

• *Portrait de la mère de l'artiste*, 1869-1870. National Gallery, Washington.

• *Dans un parc*, v. 1873. Petit Palais, Paris.

• *La Cueillette des cerises*, v. 1891. Collection particulière, Londres.

LES IMPRESSIONNISTES

Berthe Morisot présenta *le Berceau* à la première exposition impressionniste de 1874. Cette exposition indépendante, en rébellion contre l'enseignement et les conventions de l'académisme, réunissait des œuvres de Pissarro, Renoir, Degas (p. 78), Cézanne (p. 82) et Monet (p. 84). Les impressionnistes ne s'intéressaient pas aux sujets historiques mais visaient à capter l'« impression » d'un moment fugitif. Berthe Morisot obtint quelques jugements favorables ; en particulier, le critique d'art Castagnary écrivit qu'on ne pouvait trouver d'image plus gracieuse que celle du Berceau, d'une exécution parfaitement accordée à l'idée qu'elle exprime.

GAUGUIN (1848-1903)

Paul Gauguin a mené l'une des vies d'artiste les plus extraordinaires. Il est né à Paris mais, à la mort de son père, en 1849, sa famille émigra au Pérou, chez un grand-oncle. Elle revint en France alors que Paul avait sept ans. En 1865, il s'engagea dans la marine marchande. À partir de 1872, il travailla comme agent de change, s'enrichit, se maria et eut cinq enfants. Toutefois sa passion était la peinture. Il rencontra les impressionnistes, acheta leurs œuvres et présenta ses propres tableaux lors de leurs quatre dernières expositions. En 1882, la Bourse s'effondra et Gauguin décida qu'il pourrait nourrir sa famille avec sa peinture. Hélas, il eut peu de succès et, en 1886, il abandonna les siens pour se consacrer à une vie solitaire et bohème. Il partit pour la Bretagne, puis pour Panama et la Martinique. En 1888, il se laissa convaincre par Van Gogh d'une association qui tourna au désastre (p. 90). Puis il abandonna le style impressionniste pour user, à des fins expressives, de grands aplats de couleur pure. Profondément émotif, il était constamment à la recherche de réponses à ses aspirations spirituelles et, pour lui, la peinture était un moyen de spéculation métaphysique.

Les dix dernières années de sa vie, il crut trouver de telles réponses sur l'île « paradisiaque » de Tahiti.

Paul Gauguin

NEVERMORE

Peinte à Tahiti, cette toile est une interprétation moderne d'un sujet traditionnel : le nu couché (p. 30). La figure simple et cernée, les motifs décoratifs et les aplats de couleur vive sont caractéristiques du style de Gauguin.

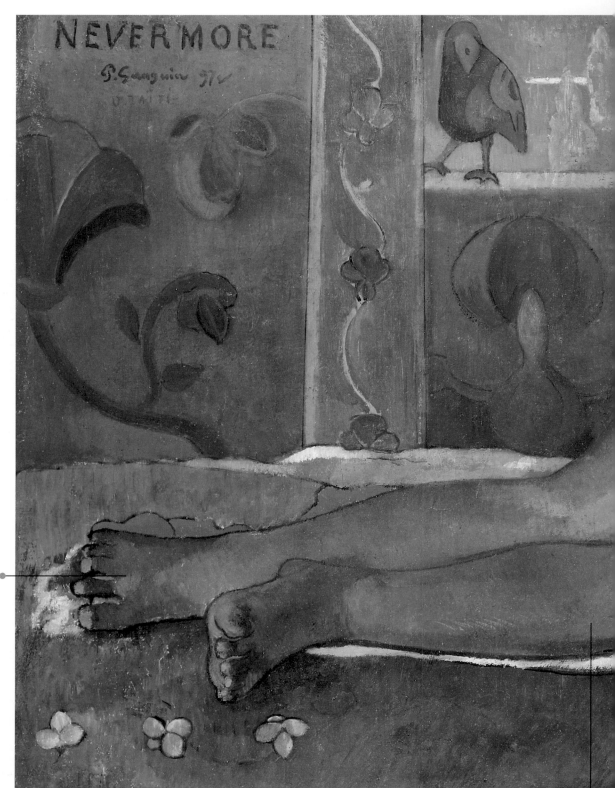

Le corbeau
L'oiseau et le mot Nevermore font penser au poème d'Edgar Poe, Le Corbeau. Poe faisait l'objet d'un culte dans les cercles artistiques parisiens et, en 1875, Manet avait illustré sa traduction par Mallarmé. Dans le poème en question, l'imagination de l'auteur est hantée par un corbeau menaçant, qui n'articule qu'un son : never more (« jamais plus »).

■ Le premier propriétaire du tableau fut le compositeur anglais Frederick Delius. Gauguin était heureux que l'œuvre fût allée à quelqu'un qui appréciait ses efforts et ses idéaux.

1895-1900

1896 Tchekhov, *La Mouette*. Jarry, *Ubu roi*. Puccini, *La Bohème*. Ire attribution du prix Nobel. Iers Jeux olympiques modernes. Horta, hôtel Solvay.

1897 Sécession viennoise. Rostand, *Cyrano de Bergerac*. Gide, *Les Nourritures terrestres*. Laloux, gare d'Orsay.

1898 Affaire Dreyfus, condamnation de Zola.

1899 Guimard, stations du métro de Paris. Ravel, *Pavane pour une infante défunte*.

1900 Exposition universelle de Paris. Max Planck, théorie quantique. Colette, *Claudine à l'école*. Lavisse, *Histoire de France*. Freud, *L'Interprétation des rêves*.

UNE COUCHE ÉPAISSE
Ce tableau est peint en couche épaisse. Les œuvres tahitiennes de l'artiste sont généralement exécutées en couche mince sur de la toile de jute souvent grossière, dont la texture accroche la lumière incidente. La radiographie a montré que ce sujet avait été peint par-dessus une autre image.

■ La vie de Gauguin se termina de façon aussi étrange qu'elle avait commencé. En 1901, il se rendit aux îles Marquises mais il y fut considéré comme un personnage subversif. Il fut arrêté et condamné à la prison pour « diffamation » des autorités. Il est enterré dans l'archipel.

UNE JEUNE BEAUTÉ
Gauguin vivait avec une Tahitienne très jeune et il a décrit les femmes de Tahiti comme ayant « quelque chose de mystérieux et de pénétrant ». Il leur attribuait une démarche féline et un parfum mêlant l'odeur animale, le bois de santal et le gardénia.

TAHITI

Gauguin se rendit pour la première fois à Tahiti en 1891, à la recherche d'un paradis tropical, loin de la corruption et de la vie artificielle. Fasciné par la culture et les croyances des Tahitiens, il contestait leur occidentalisation et leur dénaturation par les missionnaires. Il stigmatisa le conformisme social des colons, pire, selon lui, que celui des Parisiens. Il fut rapatrié en 1893 mais il réussit à retourner à Tahiti au mois de juillet 1895.

■ Gauguin collectionnait les cartes postales d'art qui l'intéressaient : d'Égypte, du Cambodge, du Japon, d'Amérique Centrale et du Sud, de l'Europe médiévale. Mais il avait épinglé dans sa case une reproduction de l'*Olympia* de Manet.

« S'éloigner autant que possible de ce qui donne l'illusion d'une chose. »

GAUGUIN

ŒUVRES CLÉS

• *La Vision après le sermon,* 1888. National Gallery, Édimbourg.

• *Paysage tahitien,* 1893. Ermitage, Saint-Pétersbourg.

• *Contes barbares,* 1902. Musée Folkwang, Essen.

CONTRASTES
Gauguin use de contrastes subtils pour accroître l'intensité du tableau. Les personnages habillés qui conversent contrastent avec la fille nue, perdue dans ses pensées, au premier plan. Les courbes de son corps avec les horizontales et les verticales géométriques qui structurent le fond.

Le mystère
Gauguin a voulu remplir son tableau du mystère de la vie primitive. Il a écrit qu'il souhaitait suggérer un « luxe barbare » disparu. La jeune femme semble perdue dans ses rêveries (elle ne dort pas). Elle tourne les yeux vers l'oiseau du fond, qui peut exister dans la réalité aussi bien que dans sa seule imagination.

▲ **Paul Gauguin :** *Nevermore,* 1897, 59,5 x 117 cm, huile sur toile. Courtauld Institute, Londres.

■ Lorsqu'il revint à Paris en 1893, Gauguin obtint de bonnes critiques pour ses tableaux tahitiens et, après 1901, il reçut régulièrement des sommes du marchand Ambroise Vollard. Il s'essaya aussi à la gravure sur bois, à la céramique et à la sculpture.

UNE COULEUR SYMBOLIQUE
Les couleurs de Gauguin sont intentionnellement irréalistes. Il voulait créer un style qui exprimerait de façon moderne des émotions et des sentiments profonds. Son usage symbolique de la couleur a exercé une influence considérable sur la génération suivante d'artistes, celle des expressionnistes allemands et de Matisse (p. 98).

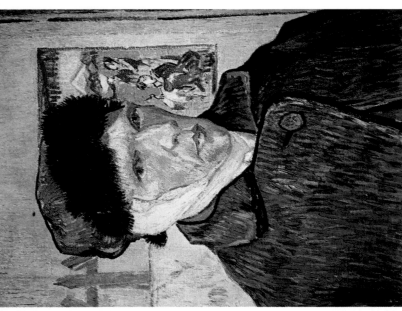

Vincent Van Gogh

VAN GOGH (1853-1890)

Né en Hollande, fils d'un pasteur évangélique, Vincent Van Gogh était un homme sensible, intelligent et passionné. Pourtant, l'histoire de sa vie est celle de constantes rebuffades. Son premier emploi, auprès d'un oncle marchand d'art, l'oblige à un séjour à Londres, où une affaire d'amour malheureux le fait licencier. Il décide alors d'entrer dans le clergé. On l'envoie prêcher en Belgique mais cette nouvelle carrière se termine brutalement parce que son zèle envers les pauvres déplaît à ses supérieurs. Van Gogh se tourne alors vers la peinture, où il cherche un exutoire à son émotivité et à sa spiritualité. Il travaille dix ans avec une énergie et une originalité étonnantes, se faisant le précurseur d'un usage expressif de la couleur qui inspirera plus tard les fauves et les expressionnistes. Cependant il ne vendra qu'un seul tableau de son vivant. L'angoisse et la dépression ne l'empêcheront de peindre qu'épisodiquement. Pour finir, il quittera la Provence et se fixera à Auvers-sur-Oise, en Île-de-France, afin de se rapprocher de son frère Theo. Au terme d'un dernier sursaut de créativité, qui le fait terminer soixante-dix toiles en autant de jours, il se tire un coup de feu dans la région du cœur. Il décédera de sa blessure deux jours plus tard.

“ *J'ai cherché à exprimer avec le rouge et le vert les terribles passions humaines.* ”

VINCENT VAN GOGH

LA CHAISE DE PAILLE

Ce sujet marque un moment décisif de la vie de l'artiste. Le ton est optimiste : Van Gogh était convaincu que ses ambitions les plus chères étaient sur le point de se réaliser.

■ Van Gogh quitte Paris pour Arles en 1888, dans l'espoir de fonder une colonie d'artistes à l'esprit proche du sien, qui trouveraient l'harmonie et l'inspiration dans la lumière et la couleur, tout en adoptant un mode de vie simple et consacré à la création. Son rêve lui semble proche lorsque Gauguin (p. 88) accepte de le rejoindre. Toutefois les deux artistes, d'un caractère aussi difficile l'un que l'autre, vont se heurter, avec des conséquence catastrophiques.

BULBES GERMÉS
Pour Van Gogh, ces bulbes en germination symbolisent une vie nouvelle. Ils peuvent se rapporter au renouveau que Van Gogh attend de sa rencontre avec Gauguin.

LA SIGNATURE
Bien visible et affirmée, la signature de Van Gogh énonce avec candeur la personnalité du peintre.

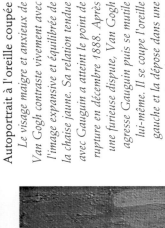

Autoportrait à l'oreille coupée

Le visage maigre et anxieux de Van Gogh contraste vivement avec l'image expansive et équilibrée de la chaise jaune. Sa relation tendue avec Gauguin a atteint le point de rupture en décembre 1888. Après une furieuse dispute, Van Gogh agresse Gauguin puis se mutile lui-même. Il se coupe l'oreille gauche et la dépose dans une maison de prostitution.

■ Van Gogh a vécu un certain temps à Londres, où il a été influencé par les romans de Dickens. Celui-ci décrit souvent des objets inanimés de manière à leur donner les caractéristiques d'êtres humains. De même, Van Gogh était capable d'« animer » des objets par le traitement expressif de la ligne et de la couleur.

LA CHAISE
Van Gogh métamorphosait les objets banals en symboles d'une vérité plus haute. La chaise de bois brut brille d'un jaune citron, couleur du soleil, qui représente l'espoir de l'artiste à ce moment de sa vie.

▲ **Vincent Van Gogh :**
Autoportrait à l'oreille coupée, 1889,
60 x 49 cm, huile sur toile.
Courtauld Institute, Londres.

COULEURS COMPLÉMENTAIRES
Van Gogh a cerné le contour de la chaise avec du bleu, couleur complémentaire du jaune, qui l'avive et le fait ressortir de la toile.

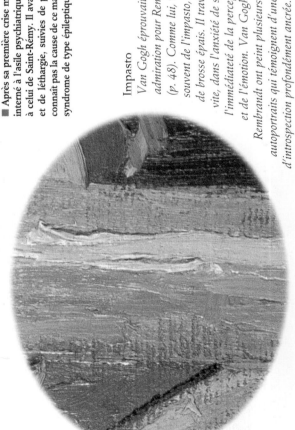

LA PIPE
La pipe de Van Gogh et le cornet de tabac, posés sur le siège de paille ; les coups de brosse épais, très personnels ; enfin l'étrangeté absolue de la fausse perspective : tout cela fait que l'on est devant bien autre chose que l'image d'une chaise. On peut y voir une projection symbolique de l'artiste lui-même. Un tableau inachevé, peint au même moment, représente un fauteuil ; celui de Gauguin. L'accent serait mis ainsi sur la polarité de leurs caractères respectifs.

■ Van Gogh n'essayait pas de reproduire les couleurs de la réalité mais en usait pour créer des états d'âme. Il a écrit dans une lettre qu'au lieu de tenter de peindre ce qu'il voyait, il employait la couleur tout à fait arbitrairement, pour s'exprimer avec force.

LE CERNE
Le cerne épais et la simplicité iconographique dénotent l'influence des estampes japonaises, que Van Gogh collectionnait. Il admirait aussi, et essayait d'imiter, la vie frugale que les artistes japonais étaient censés mener. On voit une estampe japonaise sur le fond de l'*Autoportrait à l'oreille coupée* (en haut).

■ Peu avant le suicide de Van Gogh, son œuvre avait fait l'objet d'une recension enthousiaste de la part d'Albert Aurier. Rapidement, le peintre devint un modèle pour la mouvance expressionniste en Europe.

VINCENT ET THEO

Sa vie durant, Vincent Van Gogh a été soutenu et encouragé par son frère aîné Theo. Ils ont échangé plus de six cents lettres et c'est grâce à elles que nous possédons plus de détails sur la vie de Vincent, sur ses sentiments, ses réactions et ses théories artistiques que sur n'importe quel autre artiste. Theo fut le premier à suggérer que Vincent pourrait devenir peintre. Il donna de l'argent à son frère pour ses tubes de peinture et ses toiles ; il lui envoya des photographies et des gravures sur lesquelles ils échangeaient des considérations esthétiques. Vincent est mort dans les bras de son frère le 29 juillet 1890. Théo décéda six mois plus tard.

LA DISTORSION DE LA PERSPECTIVE
La chaise est peinte d'un point de vue inhabituellement élevé : cela la fait apparaître plus proche du spectateur et plus invitante. Van Gogh n'essaie pas de rendre de façon « réaliste » la perspective du carrelage.

■ Pendant un séjour à Paris avec Theo, en 1886, Van Gogh entra en contact avec de jeunes artistes d'avant-garde, dont Toulouse-Lautrec, Pissarro, Degas (p. 78), Seurat et Gauguin. Seurat et les impressionnistes l'influencèrent beaucoup mais son style resta toujours très personnel. Il n'appartint jamais à aucun « mouvement » artistique.

ŒUVRES CLÉS

• *Les Mangeurs de pommes de terre*, 1885. Musée Van Gogh, Amsterdam.
• *Tournesols*, 1888. National Gallery, Londres.
• *La Chambre*, 1889. Musée d'Orsay, Paris.
• *La Nuit étoilée*, 1889. Museum of Modern Art, New York.

■ Après sa première crise mentale de 1888, Van Gogh fut interné à l'asile psychiatrique d'Arles, puis se fit admettre à celui de Saint-Rémy. Il avait des périodes de dépression et de léthargie, suivies de pics d'activité intense. On ne connaît pas la cause de ce mal mais ce pourrait avoir été un syndrome de type épileptique.

Impasto
Van Gogh éprouvait une grande admiration pour Rembrandt (p. 48). Comme lui, il use souvent de l'impasto, un coup de brosse épais. Il travaillait très vite, dans l'anxiété de saisir l'immédiateté de la perception et de l'émotion. Van Gogh comme Rembrandt ont peint plusieurs autoportraits qui témoignent d'une volonté d'introspection profondément ancrée.

1885-1890

1886 Rodin, *Le Baiser*. Tolstoï, *La Mort d'Ivan Ilitch*. Rimbaud, *Illuminations*. Nietzsche, *Par-delà le bien et le mal*.

1887 Seurat, *La Parade*.

1888 École picturale de Pont-Aven. Gauguin, *La Vision après le sermon*. Cézanne, *La Montagne Sainte-Victoire*. Fauré, *Requiem*.

1889 Toulouse-Lautrec, *Le Moulin de la Galette*. Tour Eiffel.

1890 Ibsen, *Hedda Gabler*. Premier gratte-ciel à structure métallique.

■ Van Gogh a peint ce tableau, en même temps qu'un *Fauteuil de Gauguin*, alors que les deux artistes vivaient dans sa chère « maison jaune » d'Arles. Il décrira plus tard la sensation de jaune « aigu » qu'il avait saisi pendant l'été 1888 : ce fut alors qu'il peignit sa fameuse série de tournesols.

LES CARREAUX DE TERRE CUITE
Le faire épais et appuyé de Van Gogh recrée la présence physique et la couleur de ces dalles d'argile. Le peintre aimait les objets simples et utilitaires, qu'il associait à son style de vie « rustique ».

Vincent Van Gogh ▲
La Chaise de paille, 1888, 90,5 x 72 cm, huile sur toile. Tate Gallery, Londres.

SARGENT
(1856-1925)

John Singer Sargent

Sargent aurait pu être un personnage de l'écrivain américain Henry James (1843-1916). Ses parents, des gens de bonne bourgeoisie (son père était médecin), venaient de Philadelphie mais ont passé leur vie à faire du tourisme en Europe. Sargent est né en Italie ; il a été élevé et éduqué en voyage. Sa mère l'encouragea à peindre les lieux qu'ils visitaient. Il décida de faire une carrière de peintre, bien que son père eût préféré le voir devenir marin. En 1874, on l'envoya étudier à Paris, chez le célèbre portraitiste Carolus-Duran (1838-1917). Il ne tarda pas à montrer un réel talent ; à l'âge de vingt-trois ans, il créait son propre atelier. En 1884, il se transporta à Londres (sur la recommandation, précisément, d'Henry James) et il devint bientôt le portraitiste favori de l'aristocratie et des nouveaux riches, tant britanniques qu'américains. Il peignit avec une aisance fortement mâtinée de mondanité cette « belle époque » qui devait prendre fin avec la Première Guerre mondiale.

❝ *Sargent montrait à ses modèles qu'ils étaient riches et, à bien regarder ses portraits, ils comprenaient enfin à quel point ils étaient véritablement riches.* ❞

OSBERT STILWELL

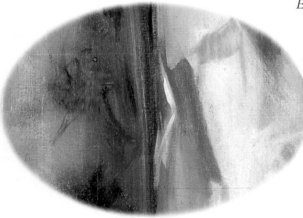

Une lumière théâtrale
La technique fluide de Sargent lui permet de rechercher des sources lumineuses subtiles et théâtrales. Ici, la lumière vient de la gauche. Elle crée des zones d'ombre riches et profondes, des accents de clarté sur les tabliers, des reflets sur les vases de Chine et sur le miroir.

LA MODE DU PORTRAIT

Pendant la période d'activité de Sargent, les portraits peints par des artistes britanniques tels que Reynolds (p. 56), Gainsborough et Lawrence devinrent des plus courus et des plus chers sur le marché international de l'art. Les nouveaux riches américains se les disputaient. Les aristocrates anglais étaient heureux de vendre leurs tableaux de famille pour un prix inespéré à des marchands du genre de Joseph Duveen. Ce commerce haut de gamme profita à Sargent qui, malgré sa nationalité américaine, était considéré comme le successeur naturel de ces grands portraitistes.

LES FILLES D'EDWARD A. BOIT
Sous les apparences traditionnelles de ce charmant portrait de groupe, on discerne une facture fraîche et moderne, caractéristique du meilleur Sargent. Les quatre jeunes sœurs sont décentrées et posent d'une manière résolument paradoxale, familière et étrange à la fois. Elles semblent avoir été interrompues dans un jeu secret et elles adoptent une attitude ambiguë, comme qui dirait coupable.

LA FAMILLE BOIT
De gauche à droite : Mary-Louisa, Florence, Jane et Julia. Edward Boit était un ami de Sargent. Peintre, lui aussi, il jouait un rôle de premier plan dans les colonies d'expatriés américains de Paris et de Rome.

L'ÉQUILIBRE CHROMATIQUE
L'une des meilleures leçons de Carolus-Duran que Sargent ait retenues, c'est l'exact équilibrage de tonalités bien observées. Le portraitiste français conseillait à ses élèves d'appliquer d'abord les tons moyens (représentés ici par le parquet et le tapis du premier plan). Cela fait, l'élève devait bâtir tout autour les rehauts et les ombres. Le tableau ci-contre prouve que Sargent a brillamment appris sa leçon.

L'ENFANCE ESSEULÉE
Sargent manifeste une affinité naturelle avec ces petites filles et avec l'enfance en général. Il était timide et solitaire. Plutôt livré à lui-même dans son enfance, il passa beaucoup de temps avec ses sœurs Emily et Violet.

■ Sargent n'avait guère d'instruction mais ses voyages lui donnèrent une sorte de culture vivante. Il apprit plusieurs langues. C'était un pianiste averti, et ses œuvres jouent avec les tonalités et les textures d'une manière toute musicale.

Une expression caractéristique

*Bien que des plus doués et des plus habiles
pour la ressemblance et les expressions
caractéristiques, Sargent se dégoûta
progressivement du portrait chic. Il se mit
à préférer les petites esquisses de paysages
ou de ses amis.*

L'INFLUENCE DE VELÁZQUEZ
La richesse des couleurs et la fluidité du coup
de pinceau révèlent l'influence de Velázquez
(p. 46), véritablement « redécouvert » par les
peintres de la fin du XIXᵉ siècle. Carolus-Duran
avait coutume de scander le nom de Velázquez
en arpentant son atelier autour de ses élèves.
Sargent copia Velázquez au cours d'un voyage
en Espagne, en 1879.

■ Bien qu'il ait passé presque toute sa vie en
Europe, Sargent était fier de ses origines améri-
caines. Il refusa un anoblissement proposé par
Édouard VII parce que cela l'aurait obligé à
renoncer à sa nationalité. Le projet qui lui tenait le
plus à cœur était de réaliser des peintures murales
pour des bâtiments publics de Boston

TOUCHES DE LUMIÈRE
L'observation de la lumière est un thème
constant de l'œuvre de Sargent. C'est une
préoccupation qu'il partageait avec
les impressionnistes. Monet (p. 84)
et Sargent se lièrent d'amitié.

UNE TECHNIQUE SÛRE
L'aisance de sa facture et sa rapidité valurent au peintre le reproche de superficia-
lité, sitôt après sa disparition.

■ Ce tableau fut bien reçu lors de son exposition au Salon de
Paris en 1883. Henry James écrivit à son propos un article
enthousiaste dans le *Harpers Bazaar.* En revanche, un an plus
tard, son portrait de Mᵐᵉ Gautreau fit scandale au même Salon
parce qu'on le trouva trop anticonformiste et trop osé. Par
conséquent, Sargent quitta Paris et s'établit à Londres, où il
reprit l'atelier de Whistler, ruiné (p. 80).

1880-1885

1880	Le groupe de Médan fonde le naturalisme. Rodin, *Le Penseur.*
1881	Renoir, *Le Déjeuner des canotiers.* Anatole France, *Le Crime de Sylvestre Bonnard.* Henry James, *Portrait de dame.* Flaubert, *Bouvard et Pécuchet.*
1882	Taine, *Philosophie de l'art.* Stevenson, *L'Île au trésor.* Tchaïkovski, *Ouverture 1812.* Wagner, *Parsifal.*
1883	Iᵉʳ gratte-ciel (Chicago). Nietzsche, *Ainsi parlait Zarathoustra.*
1885	Maupassant, *Bel-Ami.* Brahms, *Symphonie n° 4.*

KLIMT (1862-1918)

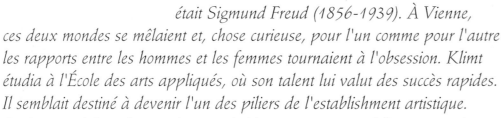

Gustav Klimt

*Un grand homme, sans doute, mais un ours.
Un appétit vorace : de connaissance, de sexe.
Sa vie est restée confinée à sa Vienne natale
mais Vienne, à l'époque, basculait entre
deux mondes : celui, brillant, de l'empire
austro-hongrois sur lequel régnait François-
Joseph et que la Grande Guerre ferait voler
en éclats ; celui, moderne, des nouvelles sciences,
des nouvelles formes artistiques, des nouvelles
relations sociales, dont le symbole intellectuel
était Sigmund Freud (1856-1939). À Vienne,*
ces deux mondes se mêlaient et, chose curieuse, pour l'un comme pour l'autre
les rapports entre les hommes et les femmes tournaient à l'obsession. Klimt
étudia à l'École des arts appliqués, où son talent lui valut des succès rapides.
Il semblait destiné à devenir l'un des piliers de l'establishment artistique.
Seulement, il était de tempérament bohème et, en 1897, il forma avec des
amis un groupe, la Sécession, dont le but était de mettre Vienne sur l'orbite
de l'art international, en rompant avec le provincialisme
des conservateurs académiques.

> *Assez de censure...
> Je veux m'évader.*
>
> KLIMT

Des mains expressives
*La façon dont les mains se touchent et le mouvement
des doigts sont particulièrement expressifs. Les mains
fascinaient Klimt, et elles sont souvent présentes
dans son œuvre. En revanche, les visages sont
dissimulés ou impassibles.*

LA SÉCESSION

À l'âge de dix-sept ans, Klimt reçut commande
pour une collaboration au décor des cérémonies célébrant les noces d'argent de l'empereur
François-Joseph. On voyait alors en Klimt un espoir
du style académique. En 1897, il obtint une autre
commande : il s'agissait cette fois de décorer la
grande salle de l'université. Là, il fit scandale et de
nombreux critiques le taxèrent de pornographie. En
conséquence, il mit sur pied avec quelques amis un
mouvement, la Sécession, dont l'objectif était de
rompre avec l'enseignement officiel.

DES MOTIFS SYMBOLIQUES
Le couple porte des vêtements dorés et très décorés,
qui s'accordent à la personnalité de chacun. Un halo
d'or l'entoure, en unissant symboliquement
les deux sexes.

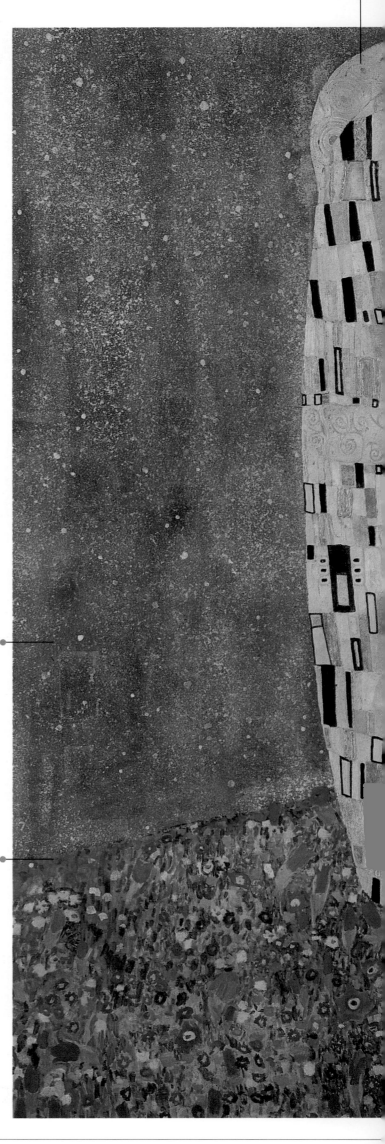

LE BAISER
*Ce tableau est l'aboutissement de la
recherche menée par Klimt sur le thème
du désir. Les deux corps semblent
fusionner dans un plaisir extatique.
Ils s'unissent à la terre
et au foisonnement de la nature.
La somptueuse décoration s'impose
par sa vigueur esthétique mais aussi
par sa force symbolique.*

LE FOND OR
Klimt, dont le père était doreur, fit des
études d'artisanat – fresque et
mosaïque – en même temps que de
peinture à l'huile. Sa formation était
donc bien différente de celle d'un
peintre académique.

■ Klimt était un travailleur infatigable. Il
se levait tôt et restait dans son atelier
toute la journée. Il parlait peu mais il
fréquentait les cafés qui, dans la Vienne
fin de siècle, étaient à la pointe de l'agitation intellectuelle et morale.

UNE MOSAÏQUE DE FLEURS
Le tapis de fleurs et le fond doré
rappellent le décor des mosaïques
byzantines. Klimt a été influencé par
celles qu'il a vues dans les églises de
Ravenne, en Italie, qu'il visita
deux fois en 1903.

■ Klimt a toujours recherché la
fusion entre les beaux-arts – peinture
et sculpture – et les arts appliqués –
graphisme et décoration. Comme la
Sécession se concentrait de plus en
plus sur la peinture pure, Klimt
rompit avec ce mouvement.

Gustav Klimt ▶
Le Baiser, 1907-1908,
180 x 180 cm, huile sur toile.
Österreichische Galerie, Vienne.

■ Klimt ne se maria pas mais eut beaucoup de liaisons et mit au monde quatre enfants au moins. Il eut une relation qui dura vingt-sept ans avec Emilie Floge, une belle femme qui tenait une boutique de mode à Vienne. Plusieurs œuvres de Klimt la représentent.

ADELE BLOCH-BAUER
Les traits du personnage féminin rappellent ceux d'Adele Bloch-Bauer, femme d'un riche marchand viennois et, suppose-t-on, l'une des maîtresses de Klimt. Elle apparaît sous différents aspects dans plusieurs tableaux de l'artiste.

■ L'œuvre de Klimt explore la relation entre psyché et sexualité. Elle prend en compte des thèmes tels que la naissance, la vie, la mort. Elle considère les femmes, selon le cas, comme des tentatrices, des pourvoyeuses d'émotion ou de plaisir érotique et des reproductrices.

Masculin et féminin
Aux formes géométriques du vêtement de l'homme s'opposent les dessins ronds de la robe de la femme.

LA ROBE
Les fleurs colorées de la robe de la femme unissent visuellement et symboliquement celle-ci au tapis de fleurs sur lequel elle est agenouillée. Cette robe porte aussi des éléments géométriques qui symbolisent son union avec le mâle.

■ Deux courants traversent le mouvement sécessionniste : le symbolisme et l'expressionnisme. Ils constituent les deux pôles du *Jugendstil,* version autrichienne de l'Art nouveau.

INFLUENCES
Très influencé par son goût pour l'art byzantin et italien primitif, Klimt a également puisé des idées de décoration dans l'art de l'Égypte et de la Grèce antiques. Parmi les influences contemporaines, on trouve les estampes japonaises, Monet (p. 84) et Whistler (p. 81).

1900-1910

1900	Freud, *L'Interprétation des rêves.*
1902	Gide, *L'Immoraliste.* Strindberg, *Le Songe.* Debussy, *Pelléas et Mélisande.*
1903	Premier vol en avion des frères Wright.
1905	Fondation à Dresde du groupe Die Brücke. Richard Strauss, *Salomé.*
1908	Braque, *Maisons à l'Estaque.*
1909	Brancusi, *La Muse endormie.* Fondation de la N.R.F.
1910	Stravinsky, *L'Oiseau de feu.*

KANDINSKY (1866-1944)

Wassily Kandinsky fut parmi les premiers à créer un art véritablement abstrait, où la couleur et la forme prennent vie par elles-mêmes. Né à Moscou dans une famille riche, il étudia d'abord le droit. À trente ans, il s'en alla étudier l'art à Munich. De nature réservée et exigeante, il était cependant un grand organisateur : en 1911, il fonda le Blaue Reiter, un groupe de peintres d'avant-garde. Après que la Première Guerre mondiale eut éclaté, il retourna en Russie. Il tenta de participer à la construction d'un art révolutionnaire mais, ses aspirations déçues, il retourna en Allemagne où il devint professeur au Bauhaus. Lorsque les nazis fermèrent l'école, il passa en France, où il continua à développer son style très personnel de peinture abstraite. Penseur subtil, il développa ses idées dans ses écrits théoriques autant que dans ses tableaux. Il se préoccupa beaucoup des liens entre la peinture et la musique car il avait une sensibilité particulière qui le rendait en quelque sorte capable d'« entendre » les couleurs.

Wassily Kandinsky

■ Kandinsky était l'ami du compositeur autrichien Arnold Schönberg (1874-1951), qui développa la technique révolutionnaire de la dodécaphonie.

COMPOSITION VIII

Kandinsky considérait ce tableau, peint alors qu'il était au sommet de ses possibilités, comme l'une de ses œuvres les plus importantes et comme la meilleure expression de ses théories sur les propriétés émotionnelles de la forme, de la ligne et de la couleur. Il le termina alors qu'il enseignait au Bauhaus.

■ Regarder un tableau comme celui-ci exige une attitude fondamentalement différente de celle qui convient à l'art figuratif traditionnel. L'absence d'anecdote concentre la vision sur les qualités purement plastiques : lignes, contrastes...

LES CERCLES
Le tableau reprend de nombreux aspects des théories de Kandinsky. En 1926, le peintre écrivait : « Les lignes angulaires sont jeunes... les lignes courbes sont mûres... le point (petit cercle)... est un petit monde coupé plus ou moins également de tous côtés. »

L'ART ABSTRAIT
L'une des questions qu'ont eu à affronter les premiers peintres abstraits, c'est de savoir si l'élimination de tout sujet reconnaissable ne donne lieu qu'à un simple arrangement, purement décoratif et sans profondeur spirituelle. Kandinsky a établi que ce n'est pas le cas et que l'art abstrait rejoint l'idéal de tout grand art depuis la Renaissance : élever et toucher l'âme humaine.

> ❝ *La couleur est le clavier, les yeux sont les marteaux, l'âme est le piano avec ses nombreuses cordes. L'artiste est la main qui joue, en frappant une touche ou une autre, pour provoquer des vibrations de l'âme.* ❞
>
> KANDINSKY

LE JAUNE
Suivant les théories de Kandinsky, le jaune « possède une certaine capacité à "monter" de plus en plus haut, jusqu'à atteindre des sommets insupportables pour l'œil et pour l'esprit ». Le bleu « descend à des profondeurs infinies ». Le bleu clair « développe le son de la flûte ».

1920-1925	
1920	Prohibition aux États-Unis. Dix, *Les Mutilés de guerre*.
1921	Pirandello, *Six personnages en quête d'auteur*. Inflation en Allemagne. Fission de l'atome.
1922	Mussolini forme un gouvernement fasciste en Italie. Découverte du tombeau de Toutankhamon. Joyce, *Ulysse*.
1923	Duchamp, *Le Grand Verre*. Le Corbusier, *Vers une architecture*.
1924	1er manifeste du surréalisme. Staline, Premier secrétaire du parti communiste.
1925	Kafka, *Le Procès*. Eisenstein, *Le Cuirassé Potemkine*. Berg, *Wozzeck*. Invention de la télévision.

Wassily Kandinsky ▶
Composition VIII, 1923, 140 x 201 cm, huile sur toile. Musée Guggenheim, New York.

L'ART ABSTRAIT

On pense que Kandinsky a créé le premier tableau abstrait ; cependant l'intérêt pour un art libéré de la représentation était partagé par d'autres artistes, comme Delaunay (1885-1941) en France, Malevitch (1878-1935) en Russie et Mondrian (1872-1944) en Hollande. Par ses ambitions et le sérieux de son propos, l'art abstrait a repris le rôle précédemment joué par la peinture d'histoire.

■ Kandinsky s'intéressait à la théosophie, selon laquelle il y a des vérités fondamentales, inhérentes à toutes les religions du monde. Ses toutes premières œuvres, figuratives, se rapprochaient de l'art populaire. Ses premiers tableaux abstraits étaient peints rapidement et ne misaient que sur la couleur. Kandinsky a dit que sa vie avait pris un tournant lorsqu'il avait vu l'un des tableaux de Monet représentant des meules de foin. Ne reconnaissant d'abord pas le sujet, il n'y avait vu que forme et couleur, comme dans une œuvre abstraite.

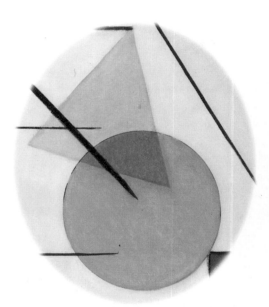

Le musée Guggenheim
Solomon Guggenheim était d'origine suisse. Sa famille avait fait fortune aux États-Unis dans les mines. Il a collectionné d'abord les maîtres anciens, puis les œuvres européennes modernes. Composition VIII est le premier des 150 tableaux de Kandinsky qu'il a achetés. Pour abriter sa collection, il a fondé un musée à New York, qu'on appelle aujourd'hui le musée Guggenheim. L'architecte en est Frank Lloyd Wright.

■ Après un mariage malheureux avec sa cousine, Kandinsky eut une liaison avec la femme peintre Gabriele Munter. Cette relation fut très riche pour l'un et l'autre. En 1917, après son retour en Russie, Kandinsky épousa Nina de Andreevsky.

● COULEUR ET SPIRITUALITÉ
Selon Kandinsky, « le vert est bien équilibré et correspond au son du violon en sourdine » ; le rouge « peut donner l'impression d'un fort battement de tambour » tandis que le bleu peut rendre « la profondeur de l'orgue ».

Le triangle et le cercle
Kandinsky croyait que l'art abstrait pouvait atteindre la même profondeur que le plus grand art figuratif. Il a écrit : « L'impact de l'angle aigu d'un triangle sur un cercle produit un effet tout aussi puissant que le doigt de Dieu touchant celui d'Adam chez Michel-Ange. »

■ Un des premiers ouvrages théoriques de Kandinsky, *Du spirituel dans l'art,* publié en 1912, explore le rôle émotionnel et spirituel de la couleur. C'est l'un des textes fondateurs de l'art abstrait.

● LIGNES ET ANGLES
Selon Kandinsky, les lignes horizontales sonnent « froid et bas » et les verticales « chaud et haut ». Les angles aigus sont « chauds, tranchants, actifs et jaunes » tandis que les angles droits sont « froids, équilibrés et rouges ».

ŒUVRES CLÉS

● *Paysage avec église II,* 1910. Stedelijk Museum, Eindhoven.

● *Improvisation n° 31,* 1913. National Gallery, Londres.

● *Accent en rose,* 1926. Musée national d'art moderne, Paris.

● *Treize rectangles,* 1930. Musée national d'art moderne, Paris.

MATISSE (1869-1954)

Henri Matisse

*Matisse est l'un des artistes les plus novateurs du XX*e *siècle. On l'a surnommé « le roi de la couleur » pour l'audace de ses expériences et pour la façon dont il a mis l'emploi expressif de la couleur en cohérence avec la sensibilité moderne. Né dans le Nord de la France, fils d'un marchand de blé, il commença par étudier le droit mais on dit qu'il découvrit le plaisir de peindre à vingt ans lorsque, pendant une convalescence, sa mère lui donna une boîte de couleurs. Il partit se former à Paris, où il fut l'un des fondateurs de l'avant-garde. Il évolua lentement. Avec son tempérament didactique et méthodique, il se livra à une réflexion théorique et à une constante expérimentation, de manière à bien maîtriser les propriétés optiques et physiques de la couleur. Il a souvent comparé le travail sur la couleur à la composition musicale. À partir de 1905, il fut reconnu comme l'un des pionniers de l'art moderne. Il reste dans l'histoire de l'art comme l'un des plus grands maîtres de tous les temps.*

> " *L'œuvre d'art porte en soi son absolue signification et l'impose au spectateur avant qu'il ait pu identifier le sujet.* "
>
> MATISSE

Le papier découpé

L'œuvre est faite de morceaux de papier que Matisse a peints dans les couleurs précises qu'il désirait. Il a ensuite disposé ces morceaux sur une feuille blanche. On peut voir sur l'original les trous laissés par des épingles et des traces de déchirure ou de coup de ciseaux.

LES RAPPORTS DE COULEUR

Matisse use d'harmonies (telles que le mauve et le vert) et de contrastes (tels que le bleu et l'orange). Avec le mouvement ascendant des formes, cela donne une atmosphère joyeuse et tonique. Les couleurs évoquent la mer, le ciel, les fruits, les pins, les feuilles, le sable et le soleil du Midi.

L'ESCARGOT

Matisse s'exprime essentiellement dans son rapport à la couleur. Créée vers la fin de sa vie, cette œuvre communique son indéfectible joie de vivre. Elle rayonne de couleurs vives et de lumière méditerranéenne, source constante d'inspiration et de plaisir.

■ Lors d'un séjour à Saint-Tropez en 1904, Matisse découvre le divisionnisme en compagnie de Signac. Il renoncera rapidement à cette technique qui sacrifie le dessin à la couleur.

UNE SPIRALE

Il n'y a pas ici de représentation littérale mais les formes centrales, au-dessus du rectangle bleu, dessinent une spirale évoquant la coquille d'un escargot.

■ Comme beaucoup de pionniers de l'art moderne, Matisse était profondément influencé par la manière dont Cézanne traitait la forme et la couleur. Avec la dot de sa femme, il s'acheta un petit tableau de Cézanne, les *Baigneuses*, auquel il se référa constamment.

UNE COULEUR VIBRANTE

L'intensité des rapports de couleur exprime le goût passionné de Matisse pour l'expérimentation. *L'Escargot* est la dernière étape d'un voyage artistique entamé un demi-siècle plus tôt.

NOTES D'UN PEINTRE

Matisse pensait que le meilleur porte-parole d'un artiste est son œuvre mais, en 1908, alors qu'il vivait à l'hôtel Biron, à Paris, il écrivit ses *Notes d'un peintre*, qui ont exercé une influence considérable. Cet article, publié dans la *Grande Revue*, synthétise les principes qui ont gouverné l'art de Matisse jusqu'à sa mort. Il déclare : « La tendance dominante de la couleur doit être de servir le mieux possible l'expression. Je pose mes tons sans parti-pris [...]. Pour rendre un paysage d'automne [...] je m'inspirerai seulement de la sensation qu'elle me procure : la pureté glacée du ciel qui est d'un bleu aigre exprimera la saison tout aussi bien que le vallonnement des feuillages. »

Henri Matisse ▶
L'Escargot, 1953,
287 x 288 cm,
gouache sur papier.
Tate Gallery, Londres.

■ À partir de 1920, Matisse a passé le plus clair de son temps à Nice ou dans les environs, en logeant généralement à l'hôtel. Au début, son mariage était heureux (il a eu trois enfants) mais sa femme et lui s'éloignèrent l'un de l'autre, puis se séparèrent en 1939. Dans son grand âge, il fut soigné et inspiré par une jeune Russe, Lydia Delectorskaya.

● LE NOIR CONTRASTANT
La forme noire est une pièce essentielle à l'effet d'ensemble et à l'atmosphère. Enlevez-la (couvrez-la de la main), et l'intensité de la couleur comme la force du dessin disparaîtront.

■ Derrière l'apparente simplicité de la création de Matisse, il y a d'interminables heures de travail et de remaniement. Son but était toujours d'atteindre à une quintessence expressive et à un équilibre visuel après quoi rien ne pouvait plus être ajouté ni retranché.

■ Parmi les premières œuvres coloristes de Matisse, les plus radicales ont été peintes à Collioure, près de la frontière espagnole, pendant l'été 1905. Quand elles furent exposées à Paris, leurs couleurs vives et leur liberté firent scandale. Un critique inventa à leur sujet le qualificatif de « fauve », qui fit fortune.

● DE NOUVELLES COULEURS
On doit aux progrès scientifiques du XIXᵉ siècle de nouveaux pigments, souvent vifs. La génération de Matisse fut une des premières à en disposer, déjà mélangés et assez bon marché. Cette innovation a contribué à ses expériences de colorisme.

■ Matisse était doué pour la sculpture comme pour la peinture. Il a dit un jour qu'en découpant aux ciseaux ses morceaux de papier coloré il se sentait comme un sculpteur taillant un bloc de couleur.

● LES ESPACES BLANCS
Dans beaucoup d'œuvres de Matisse, il y a des réserves de toile blanche, souvent au bord des aplats de couleur. Cela permet « aux couleurs de respirer » et d'atteindre toute leur force.

● UN CADRE COLORÉ
Le dessin central est entouré d'une bande continue d'orangé soutenu. Celle-ci encadre le tout et renvoie à l'un des plus anciens sujets de Matisse : une vue, par la fenêtre, d'un paysage baigné de soleil.

■ En 1941, une grave maladie et plusieurs opérations chirurgicales affaiblirent Henri Matisse et l'obligèrent, au cours de ses dernières années de vie, à s'aliter souvent. Les papiers découpés lui permettaient de travailler au lit en grand format, grâce à des aides qui mettaient les papiers en place.

H. Matisse 53

1950-1960

1950	Guerre de Corée.
1952	Apparition du terme « art informel ». Beckett, *En attendant Godot*.
1953	Mort de Staline.
1956	Rothko, *Vert sur bleu*.
1957	Marché commun. Premier satellite russe. Giacometti, *Femmes de Venise*.
1958	Pop Art en Angleterre, puis aux États-Unis.
1959	De Gaulle président de la Vᵉ République. Rauschenberg, *Monogramme*.

KLEE (1879-1940)

Paul Klee est l'un des artistes les plus originaux de l'ère moderne. Son œuvre a souvent une innocence et une fraîcheur qu'on ne trouve généralement que dans les dessins d'enfants. Il est né en Suisse, près de Berne. La musique a joué un grand rôle dans sa vie : il était un violoniste accompli et il épousa un professeur de piano. Cependant, se décidant pour la peinture, il choisit Munich pour ses études artistiques. Il se rallia bientôt aux idéaux de l'avant-garde. Il se passionna particulièrement pour l'analyse des relations entre la musique, la couleur, les cultures traditionnelles et l'art primitif. Un moment décisif dans sa vie fut son voyage en Tunisie, en 1914 : la vivacité de la lumière et des couleurs, la diversité formelle et culturelle, la fantaisie et les contes populaires du monde arabe lui firent grande impression. En 1920, il fut invité au Bauhaus (voir au bas de la page) et participa à l'élaboration du programme qui devait révolutionner l'enseignement de l'art et de l'esthétique industrielle. Bon professeur, il y fut très heureux mais le régime nazi mit fin à la liberté de créer et de penser : en 1933, Klee retournait en Suisse. Malade durant ses dernières années, il n'en poursuivit pas moins son œuvre intense, poétique et remplie d'humour.

Paul Klee

― KLEE ―

❝ *Le dialogue avec la nature est une condition sine qua non.* ❞

― KLEE ―

MONUMENTS À G

Klee a séjourné en Égypte du 24 décembre 1928 au 10 janvier 1929, visitant Le Caire, Louqsor, Assouan et les pyramides de Gizeh. Ce tableau a été réalisé après son retour en Allemagne. Il joue sur des images simples et des souvenirs qui ont impressionné Klee à la manière d'une mélodie qui hante l'imagination musicale.

■ Klee et sa femme Lily se sont fait la cour cinq ans, surtout par correspondance.

LES BANDES

Ces bandes étroites évoquent la monotonie du désert, qui s'étend d'un horizon à l'autre, et les cultures des bords du Nil. Mais elles peuvent prendre d'autres significations selon le contexte d'utilisation.

■ Au Bauhaus, Klee s'est lié d'amitié avec Kandinsky (p. 96). Il s'est particulièrement intéressé aux théories de celui-ci concernant l'art abstrait et les relations entre couleur et musique.

■ Klee était extrêmement méticuleux et ordonné. Il a catalogué toutes ses œuvres, qui sont plus de 9 000. Il usait d'un système de classification complexe, les œuvres étant enregistrées d'après leur support aussi bien que d'après leur technique et leur dimension.

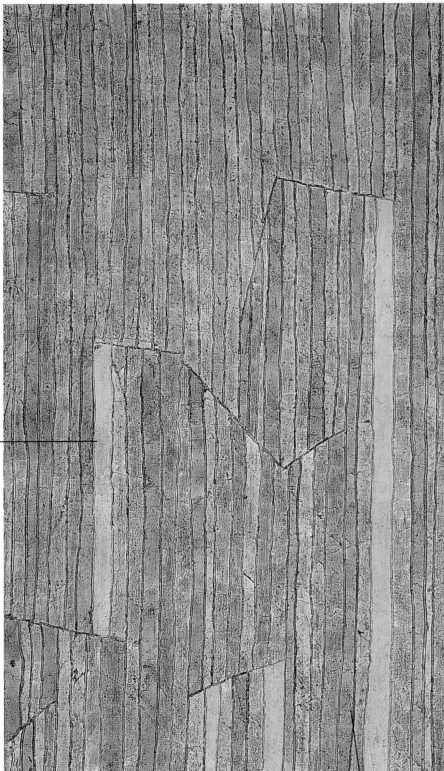

LA COULEUR MUSICALE
Si les angles aigus évoquent les pyramides, le jaune clair a la valeur de « notes aiguës ». Klee et Kandinsky se rejoignent, selon des modes différents, sur les rapports étroits de la peinture et de la musique.

DES COULEURS RYTHMIQUES
De haut en bas, Klee a méticuleusement répété trois bandes de couleur : gris-brun terreux, vert, ocre rouge. Il crée ainsi un rythme visuel tranquille, semblable à un battement monotone de tambour. Cet ordre sous-jacent accentue l'effet discordant des couleurs plus claires et des angles.

■ Klee aimait Mozart et cette œuvre possède certaines des qualités de sa musique de chambre. Il y a une forte structure de base, à la fois innovante et souple. Comme Mozart, Klee juxtapose différentes textures et couleurs/sons.

■ Esprit rangé et pondéré, Klee était fasciné par les cultures d'Afrique, d'Europe et d'Orient. Ainsi, son œuvre dépasse les clivages du temps et de l'espace, en une poétique libre de toute entrave.

LES PYRAMIDES DE GIZEH
Les formes triangulaires font clairement référence aux célèbres pyramides, proches du Caire et que Klee visita en prenant le tramway. Les autres formes se rapportent peut-être à d'autres éléments du paysage, comme les dunes ou les canaux d'irrigation.

■ Klee quitta le Bauhaus en 1931 pour occuper un poste à l'académie de Düsseldorf, moins agitée par les débats idéologiques. Le Bauhaus fut fermé par les nazis en 1933, l'année où Klee retourna dans sa Suisse natale. Dix-sept de ses œuvres figurèrent à la fameuse exposition de l'*Entartete Kunst* (« art dégénéré ») en 1937, par laquelle Hitler tentait de démontrer la prétendue dégénérescence de l'art moderne. Le résultat ne fut pas celui qu'il escomptait, l'exposition attirant un public nombreux et admiratif.

▼ **Paul Klee** : *Monuments à G*, 1929.
69,5 x 50 cm, gesso et aquarelle sur toile.
Metropolitan Museum of Art, New York.

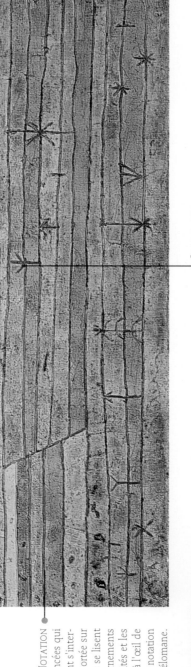

■ L'une des contributions majeures de Klee au Bauhaus fut de développer un protocole qui examinait les matières premières et les procédés fondamentaux de la peinture. Révolutionnaire à l'époque, sa méthodologie a été adoptée par les écoles d'art.

LE BAUHAUS

Fondé en 1919 par l'architecte Walter Gropius (1883-1969), le Bauhaus est devenu l'école d'art la plus influente du siècle. L'enseignement s'y attachait surtout à l'étude de la forme et du projet, des matériaux modernes, du rôle de la machine et des relations entre les arts et la production industrielle. L'école attira beaucoup de pionniers talentueux. Peintres, architectes, graphistes et artisans d'art y travaillaient côte à côte. Ils ont jeté les bases du design ; ainsi, par exemple, de l'ameublement en acier tubulaire. Au Bauhaus, on croyait que les progrès sociaux et moraux pouvaient être encouragés par la diffusion en grande série d'objets de qualité, un objectif que devait réaliser le rapprochement de l'art et de la production industrielle.

ŒUVRES CLÉS

● *Fugue en rouge*, 1921. Collection Felix Klee, Berne.
● *Le Poisson d'or*, 1925-1926. Kunsthalle, Hambourg.
● *Diane dans le vent d'automne*, 1934. Kunstmuseum, Berne.
● *Mort et Feu*, 1940. Kunstmuseum, Berne.

LES PALMIERS
Ces curieux hiéroglyphes, au bas du tableau, évoquent des palmiers ou d'autres végétaux poussant dans les champs. Typiquement, Klee éveille l'imagination en suggérant avec grande discrétion un objet « réel » qui sollicite les propres souvenirs du spectateur plutôt qu'il ne dicte une image définitive.

■ Avant la Première Guerre mondiale, Klee avait noué de solides amitiés avec de jeunes membres de l'avant-garde allemande. Deux d'entre eux, August Macke et Franz Marc, furent tués au front. Leur mort affecta profondément Klee, pour le restant de ses jours. Elle décida de son scepticisme à l'égard de la société et de ses institutions.

Des techniques inventives
Klee aimait essayer différentes techniques, tels des papiers texturés et des matières inhabituelles, qu'il combinait souvent avec une grande inventivité et beaucoup de délicatesse. Ici, il a enduit la toile de gesso (un plâtre) puis peint à l'aquarelle et griffé la surface.

■ En un sens, l'art non figuratif donne au spectateur la liberté d'interpréter un tableau de différentes façons. Cette œuvre, par exemple, peut être comprise comme une vue à vol d'oiseau, où l'on contemple de haut une Égypte imaginaire ; ou bien comme une vue en perspective, depuis les « arbres » du premier plan, sur les pyramides à mi-distance et le désert au-delà ; ou bien encore comme un assemblage de motifs, un peu comme dans l'art égyptien. Klee joue de la polyphonie du sens.

D'OBSCURS MONUMENTS
En plus des pyramides, sont suggérés d'autres « monuments », de nature plus obscure. Quelques clés nous sont fournies par son journal et son guide touristique. Ce dernier décrit le point de vue qu'on a du sommet de la pyramide de Chéops, avec le contraste entre la désolation des sables et la falaise et la «luxuriante végétation bleu-vert » le long du Nil.

NOTATION
Les lignes horizontales foncées qui séparent les bandes peuvent s'interpréter comme une grande portée sur laquelle les symboles se lisent comme des notes et des ornements de musique, les tonalités et les cadences visuelles parlant à l'œil de la même façon qu'une notation musicale à l'oreille du mélomane.

PICASSO (1881-1973)

Personnalité artistique dominante du siècle, Picasso est l'un des grands génies créateurs de tous les temps. Né à Barcelone dans une famille d'artistes (son père était professeur d'art), il fit montre très jeune de ses capacités extraordinaires. Il avait assimilé si aisément les techniques traditionnelles du dessin et de la peinture qu'il a pu se consacrer à la découverte de nouveaux moyens d'expression, appropriés à la sensibilité moderne. Ses expériences – et notamment le cubisme – lui ont fait récrire le langage artistique. Picasso s'installa définitivement à Paris en 1904 et la France resta le centre de ses activités. C'était une personnalité remuante, travaillant sans cesse (la peinture n'était pour lui qu'une des manières de faire quelque chose). Ses nombreuses liaisons sont devenues légendaires. Il aimait les sensations fortes et sa vie a connu tous les extrêmes : amour et haine, pauvreté et richesse, rejet et adulation. Ces contrastes s'expriment dans son art qui est, en fait, une autobiographie détaillée.

Pablo Picasso

ARLEQUIN ASSIS

Picasso a peint ce tableau alors qu'il était marié, heureux, et que son premier enfant, Paolo, avait deux ans. Les œuvres de cette période marquent un retour à l'ordre et à la tradition, reflet de sa sérénité et de l'influence de l'art italien.

■ **En 1917, Picasso se rendit à Rome (c'était son premier voyage en Italie), pour dessiner des costumes et des décors. Ce fut en y travaillant avec les Ballets russes de Diaghilev qu'il rencontra sa future femme, Olga Koklova.**

UN AMI DE L'ARTISTE
Le tableau est un portrait d'un ami catalan de Picasso, le peintre Jacinto Salvado, portant un costume que Jean Cocteau avait laissé dans l'atelier de Picasso. Celui-ci, qui avait beaucoup d'amis parmi les artistes, entendait se faire reconnaître comme le leader de l'avant-garde.

Un modelé accentué
Le visage est bien modelé, suivant la technique de l'ombrage. Picasso était aussi sculpteur et nombre de ses tableaux donnent à penser qu'il les concevait en trois dimensions.

1925-1930

1925	Grosz, *Scène de rue.* Hitler, *Mein Kampf.*
1926	Aragon, *Le Paysan de Paris.* Éluard, *Capitale de la douleur.*
1927	Crise économique en Allemagne. Proust, *Le temps retouvé.* Vol sans escale de Lindbergh au-dessus de l'Atlantique.
1928	Brancusi, *Oiseau.* Ravel, *Boléro.* Pénicilline.
1929	Krach de Wall Street. Musée d'Art moderne de New York. Cocteau, *Les Enfants terribles.* Braque, *Le Guéridon.*

INACHEVÉ ?
L'œuvre paraît inachevée mais ce peut être un effet délibéré. Picasso donne suffisamment d'indications qui nous permettent de compléter l'image. Inviter ainsi le spectateur à participer est un procédé typique du peintre.

■ **L'observation méticuleuse et la technique de l'*Arlequin assis* sont dignes d'un maître de la Renaissance ou d'Ingres (p. 70). Picasso s'est constamment référé à la tradition.**

ARLEQUIN
Picasso a utilisé l'image d'Arlequin pour parler de lui-même et de son activité artistique. Comme Juan Gris ou Derain, il voyait en ce personnage la figure mélancolique et solitaire de l'artiste.

▲ Pablo Picasso : *Arlequin assis,* 1923, 130 x 97 cm, huile sur toile. *Musée national d'art moderne, Paris.*

1929 : UN TOURNANT

Année du krach de Wall Street, origine de la Grande Crise, 1929 est aussi une année décisive dans les domaines politique et artistique. Les « années folles » sont terminées. Les mécanismes qui mèneront à la guerre civile espagnole et à la Seconde Guerre mondiale sont enclenchés. En novembre, le musée d'Art moderne, premier du genre dans le monde, ouvre ses portes à New York – il fera l'acquisition des *Demoiselles d'Avignon* en 1937. Un premier pas est accompli vers l'institutionnalisation de l'avant-garde et vers son accession au statut d'art officiel.

Les craquelures
À certains endroits, sur les chairs, la surface est craquelée. Cela provient de la hâte que Picasso a mise à créer ce tableau. Ces craquelures font désormais partie de l'image et ajoutent à sa force d'expression.

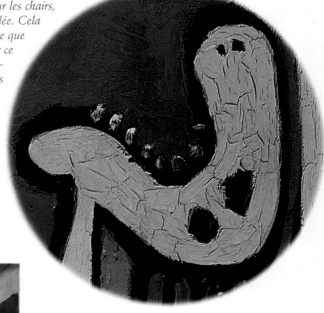

■ Toutes les femmes qui ont partagé la vie de Picasso ont influencé son style et l'aspect de ses tableaux. Il passa ses dernières années avec Jacqueline Roque, qu'il épousa en 1961. Il ne retourna jamais en Espagne après 1937, en raison de son opposition au régime dictatorial de Franco.

SURRÉALISME
Picasso s'est mis à peindre des figures féminines violentes en 1925, ouvrant un nouveau champ d'expression où la peinture ne s'était jamais encore aventurée.

GRAND NU AU FAUTEUIL ROUGE
En 1929, la vie domestique et affective de Picasso a dramatiquement changé. Son mariage est irrémédiablement brisé et il a entamé une liaison secrète avec Marie-Thérèse Walter, une belle Scandinave beaucoup plus jeune que lui.

TECHNIQUE CUBISTE
Cette image fragmentée et sans perspective résulte des expériences datant de la période cubiste de Picasso, conjuguées avec les nouvelles données du surréalisme.

■ Les surréalistes, qui ont fondé leur mouvement en 1925, prenaient très au sérieux le travail de Picasso. Ils voulaient faire servir la peinture à libérer et à révéler des états d'âme inconscients. Largement influencés par les théories de Freud et par l'accent qu'il mettait sur la sexualité et la mort, ils ont exploré ces deux grands thèmes psychologiques de multiples manières, souvent originales et créatrices.

LA COULEUR
Picasso usait de couleurs très franches et expressives. Pour lui, la peinture était rarement une fin en soi mais un moyen d'explorer les formes ou d'analyser une émotion profondément ressentie. Ici, l'extrême distorsion et les tons crus sont à l'image du tourment intérieur.

" Pourquoi essayez-vous de comprendre l'art ? Essayez-vous de comprendre le chant d'un oiseau ? "

PICASSO

■ La figure humaine est au centre de l'art de Picasso, qui n'a jamais été tenté par l'art abstrait. Sa maîtrise technique et son imagination étaient telles qu'il développa la capacité, unique en son genre, de passer sans transition de la tradition iconographique et stylistique aux nouvelles formes d'expression. Il choisissait ce qu'il jugeait le mieux approprié à l'œuvre du moment. Comme ses prédécesseurs espagnols Velázquez (p. 46) et Goya (p. 60), il savait exprimer des émotions et des pensées à la fois très personnelles et de signification universelle.

◄ **Pablo Picasso :**
Grand Nu au fauteuil rouge, 1929, 195 x 129 cm, huile sur toile.
Musée Picasso, Paris.

ŒUVRES CLÉS

• *Les Demoiselles d'Avignon,* 1907. Museum of Modern Art, New York.

• *Ma jolie,* 1911-1912. Museum of Modern Art, New York.

• *Trois danseuses,* 1925. Tate Gallery, Londres.

• *Guernica,* 1937. Prado, Madrid.

LA HÂTE
Picasso travaillait avec virtuosité, sans repentir à propos des détails. *Le Mystère Picasso*, film d'Henri-Georges Clouzot, révèle parfaitement cet aspect du processus créatif.

■ Pionnier de l'art moderne, Picasso explorait sans cesse le passé, ce dont témoigne la masse énorme des études qu'il confie à ses carnets de croquis. Ses styles les plus radicaux représentent moins un rejet des valeurs anciennes qu'une volonté de ranimer le regard et la vitalité qui caractérisent l'art de la Renaissance et du baroque.

HOPPER (1882-1967)

La solitude qui s'exprime dans les tableaux de Hopper reflète à la fois le tempérament pessimiste du peintre et l'atmosphère du temps où il a atteint la maturité. Né dans une petite ville de l'État de New York, fils d'un boutiquier qui lui imposa une stricte éducation baptiste, affligé d'une taille excessive, Hopper eut une enfance solitaire et consacrée à la lecture. Il garda toute sa vie la haine des conversations de salon, préférant rester seul et silencieux. Il parlait rarement de son art. À dix-huit ans, il entra à la New York School of Art pour apprendre le métier d'illustrateur de magazine. Autour de ses vingt-cinq ans, il vint deux fois à Paris, où il s'intéressa aux impressionnistes, désormais reconnus. Il ne devint artiste peintre qu'à quarante-deux ans, soit en 1924, année où il épousa Jo Nivison, pétulante actrice devenue elle-même peintre. Le couple vivait à New York et avait une maison d'été à Cape Cod, en Nouvelle-Angleterre. Hopper méprisait l'art abstrait et se tenait à l'écart du mouvement moderniste. Pourtant les peintres abstraits admiraient sa géométrie rigoureuse, d'un esprit indiscutablement moderne. Hopper connut le succès à la fin des années trente.

Edward Hopper

> **❝** *Le grand art est l'expression extérieure de la vie intérieure de l'artiste.* **❞**
>
> HOPPER

OISEAUX DE NUIT

Plusieurs œuvres parmi les plus envoûtantes de Hopper montrent des gens isolés dans des espaces anonymes tels que restaurants, bureaux ou chambres d'hôtel. On ne sait jamais trop pourquoi ils sont là ni quelles sont leurs relations. Le sentiment dominant est celui de l'impermanence : les personnages sont en transit, ils ne semblent pas appartenir au milieu où ils sont dépeints.

DES DISTORSIONS SUBTILES
Une analyse soigneuse de nombreuses œuvres de Hopper révèle que les espaces qu'il crée altèrent subtilement la réalité. Toutefois la modification est parfois si légère qu'on la pressent d'instinct plutôt qu'on ne la conçoit véritablement. Cela contribue à accentuer le sentiment de malaise qu'engendre le tableau.

■ Le tableau de Hopper suggère davantage une action qu'il ne la raconte. Il évoque un photogramme extrait d'un film : à tout moment, la scène pourrait s'animer et le sens devenir clair. Ardent cinéphile, à la grande époque du noir et blanc, Hopper a certainement été influencé par les techniques cinématographiques, qui reposent très souvent sur les effets d'angle, le clair-obscur et un art de la composition qui pallie l'absence de couleur.

UN DESSIN APPUYÉ
Hopper a le sens du dessin puissant et simple. Ce talent l'a fait rechercher comme dessinateur publicitaire (les annonceurs et les éditeurs de magazines ont du goût pour les images appuyées et directes). Hopper oppose à cette technique forte une atmosphère incertaine, chargée de tension.

■ En 1942, Hopper entreprit avec sa femme un voyage de trois mois, en voiture, de New York à la côte Ouest et retour. Ce tableau pourrait bien avoir été inspiré par un endroit qu'il vu ou par une scène qu'il a vécue au cours de ce voyage.

1940-1945

1940	Bataille d'Angleterre. Découverte de Lascaux. Chaplin, *Le Dictateur*.
1941	Attaque japonaise de Pearl Harbour. Invasion allemande en U.R.S.S.
1943	Stalingrad. Chute du fascisme en Italie. Fautrier, *Les Otages*.
1944	Débarquement de Normandie.
1945	Bombe atomique. Reddition du Japon et de l'Allemagne. Dubuffet, *Cafetière*.

LA RUE VIDE
Hopper a dit de ce tableau : « J'ai beaucoup simplifié la scène et agrandi le restaurant. Inconsciemment sans doute, je peignais la solitude d'une grande ville. »

■ Hopper prétendait ne pas s'intéresser à la peinture moderne. Il s'écartait par tempérament des préoccupations chères aux artistes contemporains. En 1960, il protesta vigoureusement contre l'acquisition de tableaux abstraits par le musée d'Art moderne de New York.

▲ **Edward Hopper :**
Oiseaux de nuit, 1942, 76 x 144 cm, huile sur toile. Art Institute, Chicago.

LE COIN
Hopper choisit souvent des points de vue insolites, avec un angle de pièce ou un coin de rue qui isole les personnages et donne au spectateur la sensation d'être à l'extérieur de la scène, comme exclu du sujet, contrairement aux règles usuelles de la perspective.

ŒUVRES CLÉS

- *Distributeur automatique,* 1927. Des Moines Art Center, Iowa.
- *Fenêtres, la nuit,* 1928. Museum of Modern Art, New York.
- *Été,* 1943. Delaware Art Museum, Wilmington.
- *Soleil matinal,* 1952. Columbus Museum of Art, Ohio.

Le couple
Les relations entre l'homme et la femme accoudés au bar sont totalement ambiguës. Leurs mains se touchent presque, ou sont sur le point de se toucher, comme par accident.

L'ARMORY SHOW

Jusqu'en 1913, année de l'Armory Show – une célèbre exposition tenue à New York –, le public américain n'a guère eu d'accès direct aux réalisations révolutionnaires de l'art européen, du symbolisme et de l'impressionnisme (p. 86) au cubisme (p. 102). D'ailleurs, les deux tiers de l'exposition étaient consacrés aux artistes américains, toujours ancrés dans le réalisme. Malgré le temps mis par l'art européen à s'imposer, ce fut un tournant. Hopper participait à l'exposition et y réalisa ses premières ventes.

■ L'étude de la lumière par Hopper est en partie inspirée de sa connaissance de la peinture impressionniste (p. 86). Il a séjourné à Paris en 1906-1907 puis en 1909-1910. L'un des attraits de Cape Cod (où il possédait une maison) était la clarté lumineuse du bord de mer.

L'ÉCLAIRAGE ARTIFICIEL
Hopper a toujours été fasciné par les effets de lumière. Ce qui l'attire ici, c'est l'éclairage très cru qui inonde l'intérieur du bar et qui jette une lueur verdâtre, fantomatique, dans la rue vide.

L'HOMME SOLITAIRE
Ce personnage anonyme et seul, au visage caché, semble croqué sur le vif. La lumière qui lui enveloppe le côté droit lui confère cependant un rôle de premier plan.

■ Bien qu'ils ne se soient pas quittés, Hopper et sa femme ont eu des relations parfois turbulentes. Leurs personnalités différaient beaucoup. Dans son journal, Jo rappelle les disputes et la difficulté de communiquer avec son mari.

L'OBSERVATION DE LA RÉALITÉ
Le professeur de New York qui a le plus influencé Hopper, Robert Henri, l'a encouragé à prendre pour sujet la vie quotidienne et à étudier les peintres qui s'y intéressaient, comme Velázquez (p. 46), Manet (p. 76) et Degas (p. 78).

MODIGLIANI (1884-1920)

La vie d'Amedeo Modigliani alimente la vision populaire de l'artiste bohème, imprévisible, drogué mais génial, que l'on ne trouve généralement que dans les mauvais romans. Cet Italien de famille juive sépharade avait une mère d'esprit libéral et anticonformiste, qui l'adorait et qui lui fit connaître l'art et la poésie. Son père, homme d'affaires, fit faillite peu après sa naissance et on ne le vit plus guère au foyer. Modigliani, enfant maladif, devint bientôt un enfant gâté et difficile. Son ambition était de devenir portraitiste et, à vingt-deux ans, il s'en fut à Paris, nanti d'un petit pécule. Il y mena, très consciemment, une vie décadente. De bars en maisons closes, il sombra dans l'alcoolisme et la drogue. Cependant il développa un style artistique qui est une synthèse hautement originale entre la tradition classique et l'avant-garde dont les idées dominaient Paris entre 1900 et 1914. Il se tint, comme d'autres d'ailleurs, en marge du monde artistique et social. Pendant le rude hiver 1920, il contracta une pneumonie suivie d'une méningite tuberculeuse, et il mourut misérablement. Il avait trente-cinq ans.

Amedeo Modigliani

JEANNE HÉBUTERNE

Ce portrait émouvant, d'un style très personnel, a été terminé peu avant la mort de l'artiste. Il est caractéristique de sa période expressionniste finale. Le modèle est sa compagne Jeanne Hébuterne, qu'il avait rencontrée en juillet 1917. Elle est enceinte de son second enfant.

■ Comme beaucoup d'artistes de son temps, Picasso compris, Modigliani peignait et sculptait par vocation absolue plus que pour la gloire ou la fortune. À Paris, quelques marchands se montrèrent disposés à épauler ces jeunes artistes qui n'avaient pas encore fait leurs preuves. Modigliani fut ainsi soutenu par un Polonais, poète à ses heures, Léopold Zborowski. Sa première exposition personnelle dut fermer le lendemain de l'accrochage parce que la police jugea les nus obscènes.

UN STYLE INIMITABLE
La pose stylisée, les épaules tombantes, le long cou et la tête penchée sont des caractéristiques du style de Modigliani, qui rappelle à la fois Botticelli (p. 22) et Matisse mais aussi la statuaire africaine.

Sculpture

En 1909, Modigliani se mit à sculpter. Il fut particulièrement influencé par le formalisme simplifié de Brancusi et par l'art africain. L'allongement de la tête et du nez, que l'on voit ici, semble procéder d'une esthétique de la taille directe et évoque les œuvres sculpturales de Modigliani.

■ Modigliani a vécu dans la plus extrême pauvreté, au point de manquer d'argent pour acheter de quoi peindre. Nécessité faisant loi, bien des techniques novatrices furent destinées à pallier ces difficultés matérielles.

LES YEUX EN AMANDE
Les yeux vides en forme d'amande au-dessus d'un long nez et d'une bouche en arc sont des traits distinctifs de l'art de Modigliani. Dans ce portrait, leur couleur bleu pâle fait apparaître comme des fenêtres découpées dans le visage pour laisser voir le ciel. Cela ne fait qu'intensifier l'expression « hors du monde » de ce visage.

UNE AMANTE DÉVOUÉE
Étudiante timide et réservée, Jeanne Hébuterne était toute dévouée à Modigliani. Elle supporta avec grandeur d'âme les humiliations publiques, les infidélités, les agressions physiques. Le lendemain de la mort du peintre, elle se suicida en se jetant par la fenêtre. Ils sont enterrés côte à côte au Père-Lachaise.

ŒUVRES CLÉS

• *Nu assis*, 1916. Courtauld Institute, Londres.
• *Nu couché*, 1917. Staatsgalerie, Stuttgart.
• *Jeune femme en chemise blanche*, 1918. Collection particulière.
• *Jeanne Hébuterne de profil*, 1918. Collection particulière.

LA SIMPLIFICATION

Modigliani, qui partageait les idées et les aspirations de la plupart des artistes qui ont animé l'avant-garde, a peint le portrait de plusieurs d'entre eux, dont Picasso, Cocteau, Gris et Soutine. La simplification de la forme et de la ligne, caractéristique de son œuvre, révèle encore l'influence de Matisse (p. 98).

■ La mère de Modigliani lui fit connaître les poètes symbolistes, comme Baudelaire et Rimbaud. Sa tante l'initia à Nietzsche et à sa conception de l'artiste, personnage en marge de la société mais, au contraire de Modigliani, animé par la volonté de puissance.

▼ Amedeo Modigliani :
Jeanne Hébuterne, 1919-1920. 130 x 81 cm, huile sur toile. Collection privée.

1910-1915

1910 Inondation de Paris.
Léger, *Nus dans la forêt*.
1911 Kandinsky, *Du spirituel dans l'art*. Marc, *Les Grands Chevaux bleus*.
1912 Lénine fonde la *Pravda*. Delaunay, *Contrastes simultanés*. Schönberg, *Pierrot lunaire*.
1913 Premier film de Chaplin. Stravinsky, *Le Sacre du printemps*. Thomas Mann, *Mort à Venise*. Kirchner, *Cinq femmes dans la rue*. Mondrian, *Composition VII*.
1914 Première Guerre mondiale. Duchamp-Villon, *Grand Cheval*.

« *Tiens pour sacré tout ce qui peut exalter et exciter ton intelligence. Affirme-toi et dépasse-toi sans cesse.* »

MODIGLIANI

LA GROSSESSE

Modigliani et Jeanne ont conçu deux enfants. Le premier est né en octobre 1918, dans le Midi. Ce portrait a été peint à Paris alors que Jeanne portait le second. Elle s'est tuée avant la naissance, à sept mois de grossesse. Le premier a été adopté par la famille de Modigliani, en Italie.

■ Avant sa liaison avec Jeanne Hébuterne, Modigliani eut une relation orageuse et parfois violente avec une journaliste et poétesse sud-africaine, Beatrice Hastings. Comme plusieurs de ses maîtresses, elle avait été attirée par son romantisme bohème et sa vulnérabilité.

LA VIE DE BOHÈME

À partir de la moitié du XIXᵉ siècle, bien des jeunes artistes et écrivains de province et de l'étranger sont « montés » à Paris, attirés par un rêve de célébrité et fortune ainsi que par la perspective d'une vie plus libre, consacrée à l'art, à la conversation, à la contemplation esthétique, aux femmes et à la convivialité des cafés. Ce mythe a été rendu populaire par les *Scènes de la vie de bohème* (1847-1849) d'Henri Murger (1822-1861), qui ont inspiré l'opéra de Puccini *la Bohème* (1896).

■ Au tournant du siècle, Paris était un creuset cosmopolite de cultures d'où émergea une conception nouvelle des arts plastiques, de l'architecture, de la littérature et de la musique. Munch, Whistler, Van Gogh, Cézanne et Picasso figurent parmi la pléiade d'artistes qui y ont été attirés.

■ La vie et l'œuvre de Modigliani révèlent le besoin d'échapper à la réalité, non celui de l'affronter comme l'a fait Picasso (p. 102) par exemple. Du reste, Modigliani fantasmait sur sa famille, en prétendant que de lointains ancêtres avaient été banquiers des papes et que sa mère descendait du philosophe Spinoza.

UNE POSE EXPRESSIVE

Avant de peindre un portrait, Modigliani exécutait de nombreux dessins afin de bien cerner son modèle et de trouver la pose adéquate. Puis il peignait rapidement : le portrait était généralement terminé en une séance. Pour lui, peindre était une activité intensément émotionnelle, pendant laquelle il criait et soupirait sous l'effet de la concentration et de la frustration.

■ Comme la plupart des premiers représentants de l'avant-garde, Amedeo Modigliani avait un profond respect pour les vieux maîtres. Il étudia à Florence et à Venise, où il s'intéressa à Bellini (p. 20), à Botticelli (p. 22) et à Titien (p. 34). Il admirait aussi les portraits de Sargent (p. 92).

UN ESPACE CUBISTE

Le fond simple mais fragmenté révèle la dette de Modigliani envers Cézanne (p. 82), qu'il admirait, et sa connaissance des inventions cubistes de Picasso (p. 102) et de Braque. Comme bien des peintres de sa génération, Modigliani découvrit l'œuvre de Cézanne à la rétrospective de 1907.

REMERCIEMENTS

Remerciements de l'auteur
J'éprouve une infinie gratitude pour tous les artistes dont les œuvres figurent dans cet ouvrage. Quoi qu'il soit advenu d'eux aujourd'hui, ils ont enrichi ma vie et mon expérience, en ayant eu ce génie, ce courage et cette ténacité qui rendent le monde meilleur, plus intéressant, plus beau et plus humain.

Un ouvrage tel que celui-ci est une aventure collective, où l'auteur collabore avec une équipe professionnelle qui discute, prévoit, édite et réalise. Mes sincères remerciements vont à tous ceux avec qui j'ai travaillé, mais particulièrement à Damien Moore et à Claire Pegrum, qui m'ont aidé à voir et à comprendre certaines choses, concernant les œuvres et les artistes, que je n'avais pas saisies de premier abord.

Remerciements de l'éditeur
Dorling Kindersley remercie Jo Marceau et Ray Rogers pour leur relecture des épreuves, Will Hoone pour ses recherches iconographiques et Hilary Bird pour l'index.

CRÉDITS PHOTOGRAPHIQUES

Tous les efforts ont été accomplis pour identifier les détenteurs de droits et nous présentons nos excuses à ceux qui auraient été l'objet d'une omission involontaire. Nous serions heureux d'introduire les références appropriées dans une édition ultérieure.

Légende : b, bas ; c, centre ; g, gauche ; d, droite ; h, haut ; j1, première de jaquette ; j4, quatrième de jaquette

© ADAGP, Paris & DACS, Londres, 1998: 96 hd, 96-97 c, 97 b.
AKG Londres: 4 cg, 5 c, 8, 10 hd, d, g, 12 hg, 20 hg, 22-23 c, 22 bg, 23 h, 24 hg, 26 hd, 32 hg, 34 hg, 38, 40 hg, 42–43, 44 hd, 46 hg, 47, 48 d, g, 62–63, 64 hd, 72 hg, 74 hg, 78 hd, 80 hg, 83, 86 hg, 90 hd, 94 hg, 96 hg, 98 hg, 102 hd, 104–105 c, 105 h;
Erich Lessing: 30–31 c, 30 g, 31 h, 32-33 c, 33 b, 46 b, 67, 78-79 c, 78 g, 90–91 c, 91; j1: cd, cj, hd; j4: hg, hd, cg, cd.
© ARS, NY & DACS, Londres, 1998: 108–109.
Bridgeman Art Library: Alte Pinakothek, Munich/Giraudon: 41 hd; Bradford Art

Galleries & Museums: 5 h, 56–57 c, 56 hd; Galleria degli Uffizi, Florence: 16 d, g, 17 g, d, 45, 56 hg; Musée Condé, Chantilly 11 g, d; Musée Fabre, Montpellier: 74–75 c, 75 h; Musée du Louvre, Paris/Peter Willi: 72–73 c, 72 bg, 73; Musée du Louvre, Paris/Giraudon: 70; j1 : bg; Museo del Prado, Madrid: 36–37 c, 36 g, 37 h; Museum der Bildenden Kunst, Leipzig: 64–65 c, 64 bg; National Gallery, Londres: 71; Collection particulière/Giraudon: 86–87 c, 87 hg; Santa Maria del Popolo, Rome: 39; Sir John Soane's Museum, Londres: 54 cg, 54–55 c, 55 d; Wallace Collection, Londres: 58–59 c, 59.
British Library, Londres: 84 hg.
Trustees of the British Museum: 32 hd.
Corbis-Bettmann: 100 hg; UPI: 104 hd; j4: bd.
Courtauld Institute Galleries, Londres: 82 hd, c, 88–89 c, 88 g, 89.
© DACS 1998: 100–101 c, 101 b.
© Succession H. Matisse/DACS 1998: 98–99 c, 98 g.
© Succession Picasso/DACS 1998: 9 bd, 102 d, cg, 103 g, d.
English Heritage, Iveagh Bequesh, Kenwood: 49; j1: hg.

Mary Evans Picture Library: 28 hg, 66 hg, 68 hg.
© 1997 The Detroit Institute of Arts, donation Dexter M. Ferry Jr: 80–81 c, 81.
Getty Images: 14 hg, 16 hd, 18 hg, 22 hg, 30 hd, 36 hd, 48 hg, 50 g, 53 hd, 54 hg, 58 hg, 76 hd, 88 hd, 102 hd, 106 hg, intérieur j1: bc ; j4: bg.
Giraudon: 108 hg; Alinari: 57 bd.
Donation 1937, Solomon R. Guggenheim, photo David Heald, © The Solomon R. Guggenheim Foundation, New York: 96–97 c, 96 h.
Metropolitan Museum of Art, Collection Berggruen Klee, 1984 (1984.315.51): 100–101 c, 101 b.
Damien Moore: photo de l'auteur.
Musée du Louvre, Paris: 26 hg, j1: bd.
Musée national d'art moderne, Paris: 103.
Musée d'Orsay, Paris: 76–77 c, 77, 79 hd, 87 hg, 90 hg.
Museo del Prado, Madrid: 4 bg, 26–27 c, 27 b, 34 hd, 34-35 c, 35 b, 60g, 60–61 c, 61.
Autorisation Museum of Fine Arts, Boston, donation Mary Louisa Boit, Florence D. Boit, Jane Hubbard Boit et Julia Overing Boit, en mémoire de leur père Edward D. Boit: 9 h, 92–93 c, 92 cg, 93.

Autorisation Trustees of the National Gallery, Londres: 5 b, 24–25 c, 25 bg, 40–41 c, 41 cd.
National Gallery of Australia, Canberra: 108–109 c, 109 h.
Österreichisches Galerie, Vienne: 4 c, 94–95 c, 95.
Oskar Reinhart am Stadtgarten, Winterthur: 65 hd.
RMN/Musée Picasso, Paris: 102 d, cg.
Roger-Viollet: 84 g.
Collection royale, © S. M. la Reine Elizabeth II: 24 hd.
Scala: 4 hg, 12–13 c, 12 bg, 13 d, 14–15 c, 14 cg, 15 hd, 18–19 b, 19, 20–21 c, 21, 28–29 c, 29, 52–53 c, 52 g, 53.
Autorisation Schloss Weissenstein, Allemagne: 44 d.
Sirot – Angel: 82 hg, j1: h.
Autorisation Sotheby's, New York: 4 hd, 106 hd, 106–107 c.
Staatliche Museen, Berlin – Preussischer Kulturbesitz Gemäldegalerie: 50–51 c, 51.
Tate Gallery, Londres: 66 c, hd, 68–69 c, 69 h, 98–99 c, 98 g.
© Board of the Trustees of the Victoria & Albert Museum, Londres: 68 cg.